特講　私にとって文学部とは何か――「遠方のパトス」のために

序章　遠方のパトスのために

1 教師になって失ったもの　2 取り憑かれたように信じてしまう　3 哲学と芸術の交わりを掲げて　4 学生Y君の発表　5 学生S君とN君の回答　6 学生K君の卒論　7 扉はゼミの学生諸君

第一章　私の心に残る十五のテクスト

1 生の思い出――バタイユ「ニーチェについて――好運への意志」　2 赤い花の伝言――夏目漱石「それから」　3 国境の湖を渡る二人――ヘミングウェイ「武器よさらば」　4 追憶も忘却も消えていく世界へ――立原道造「のちのおもひに」　5 虚空に憑かれた《垂直の精神》――埴谷雄高「虚空」　6 夜に目覚める――カフカ「夜」　7 偽侯爵、雨の夜空に札束を撒き散らす――ドストエフスキー「悪霊」　8 西欧中世との呼応――小池寿子「死を刻む時計　ストラスブール」　9 十七歳、生の魅惑が眼前に広がりだす頃――室生犀星「性に眼覚める頃」　10 厳しい簡潔さ――向田邦子「かわうそ」　11 観念と現実――谷崎潤一郎「少将滋幹の母」　12 美と行為の相克――三島由紀夫「金閣寺」　13 歴史とその外部――マルタ・モラッツォーニ「最後の任務」　14 翻訳の妙――フランソワ・モーリャック「テレーズ・デスケールー」　15 かつての出会いと別れに杯を。そして何と多くの新たな可能性が！
——ニーチェ「悦ばしき知識」「遺された断想」

第二章　文学共和国によせて　49
1 京都でのバタイユ講義　2 仏文科の魅力　3 自然は最高の教師　4 内側からの生命の表出　5 信州の自然と父　6 メディアの暴力

第三章　愛の国へ　66
1 文学と愛　2 バタイユと研究のはざまで　3 虚空への愛　4 愛が広いフランス　5 百度の沸騰　6 真理への愛　7 愛をめぐる人間の生き方　8 砲弾が炸裂する塹壕で　9 ベルルとプルーストの文通　10 嘘も真理への愛　11 真理の探求と性の問題　12 性の言説と生権力　13 性の告白小説　14 言葉の奥にあるもの

終　章　レトリックにかけた夢　109
1 生きるためのペシミズム　2 観照のディレンマ　3 ニーチェの真理体験　4 ニーチェの夢とレトリック　5 存在の重荷と弱音　6 パトスを文章にのせて　7 十人十色の大学教師　8 ディオニュソスの酒甕

Introduction

序章 遠方のパトスのために

1　教師になって失ったもの

はじめて大学の教壇に立ったときのことはよく覚えている。

数段高い壇上へ上りかけたとき、私は何かを背後で失った。後戻りできないほどの決別。そんな思いがこみあげてきたのだ。その別れの思いは、黒板の前に立って、教室を見渡したとき、いっそうはっきりと感じられた。まったく別の世界に入ってしまった印象とともに、喪失感が全身に染み渡った。

私が失ったもの、それは教師に対する認識だった。教師がどのような人間で、何を考え、何にとまどい、何をしようとしているのか。その心の機微から仕草まで、学生側からはよく見えていたのだ。いやじつは、教師に対するこの視界のよさも、失ってはじめて気づいたのだが。それまで私はずっと学生だったわけで、学生から教師がどれほどよく見えるかなど考えたこともなかった。

教師になったその瞬間から、もう教師の実態が分からなくなる。教師の現場での姿も発言の影響も教師自身には定かに自覚できなくなってしまう。これはとても恐ろしいことではあるまいか。

近年では大学側が学生に対して授業アンケートを実施し、学生の目を通して教師の在り方がチェックされている。さらに学生が自主的に裏シラバスなるものを作り、担当の教師が仏か鬼か、授業が「楽単」が否かの実践的な報告を行っている。ＳＮＳでも頻繁に教師の特徴が、中傷誹謗や賛辞とともに、ときに皮肉や暗示をまじえて紹介される。これらはしかし短字数による言い切りで、一面的な評価の場合が多い。そしてその部分的なレッテルが教師の人格すべてを覆《おお》ってしまうことがある。しかもその言説は単純明快で分かりやすいために、伝播しやすく、信頼されやすい。言説はそうして影響力を持ち、権力まで得ていく。

言葉は、いつの世も、一人歩きして、強くなる。逆に実態に近くなればなるほど、詩の言葉のように曖昧で非力になり、何を言っているのか分からなくなる。とすれば、しょせん他者からあれこれ言われたところで、教師はいつまでたっても全面的な自覚に至らず、真の反省にも導かれないということなのか。

「先生と呼ばれる種族が戦後の日本を悪くした」。私が後年、大学の教師を務めながら、社会人教育の講座を担当していたとき、その受講者だった老年の方がことあるごとに私にそう断言していた。大村房三さんとおっしゃる方で、私よりはるかに年長で今は鬼籍に入られてしまったが、私のことを、先生、先生と呼んでいた。そう呼ばれる種族は、学校の教師のほかに政治家や医者もいる。「私も日本を悪くした一人ですね」と答えると大村さんは笑ってその場を繕《つくろ》っていたが、長年熱心に受講してくださり、私の話にはどこにでも足を運んでくれた。

東京のブリヂストン美術館（現在のアーティゾン美術館）で後期印象派のポール・シニャックを題目に講演したときなど、会場が満員にもかかわらず、大村さんは館員に巧みに交渉して楽屋に入り込み、舞台袖から二時間、私を注視してくださっていた。そうとは知らず舞台で話を終えて振り向いたとき、なぜここに、と私はびっくり仰天し、また感謝の念もこみあげてきたのである。きっと大村さんは、その舞台袖でもどこででも、私自身には気づきようのない姿や声音や思いの揺れを見て楽しんでおられたのだろう。中学もろくに出ていない、だから教育にはコンプレックスがあると、これも大村さんの繰り言だったが、京都の呉服屋に入って叩き上げで身を起こし、パウル・クレーばりの斬新な絵柄の和服を作っては売りさばいて成功し、引退後は、東京で能の観賞にふけって今日に至っていると述懐されていた。私の話など、下手な役者の三文芝居だったのかもしれない。

芝居、演目、出し物。大学での私の授業も学生にとっては一種の見世物であろう。なにしろ私が受けた生涯最初の授業アンケート（それは十八年前、法政大学の市ヶ谷地区共通のフランス語作文の授業に対するアンケートだった）に記された、「学生による自由記述欄」の唯一の文言がこんなだったのだから。「先生が動物園のクマさんみたいでかわいい」。日本を悪くした張本人の一人から動物園のクマさんまで、統一像を結ぶのは難しい。その場、その場で、知らずシナリオのない一人芝居を演じる孤独な表現者。それが教壇の私だと言えようか。

ともかく、教師には教師の身が作り出す現実が分からない。それが、教師として歩みはじめたときの私の強い感覚だった。

とともに、逆のことも付け加えておく。学生のありさまが非常によく見えるようになったことだ。学生だったころは、授業中に手元で文庫本を読んでいようが、窓辺を見ていようが、教師には分かるまいと高をくくっていたものだ。しかし教壇から学生の生態はじつによく見える。教室の規模や学生数にもよるが、概して学生の心の在りようまで何かオーラのようなものが発していて、それがやましい感情や行為のときには黒いオーラになって、教壇から察知される。

学生と教師はともに、自分が見えず、相手が見えるという人間の宿命的な条件に人一倍刻印されているのかもしれない。

2　取り憑かれたように信じてしまう

私が教壇に立った最初の大学は甲府にある山梨学院大学で、法学部と商学部のフランス語の非常勤講師としてだった。三三歳になろうとする一九八七年四月のこと。三年半のフランス留学から帰国して一月半してのことだった。帰国した当座は、街を歩いても、家並や塀の高さ、道路の幅など、日本の距離感覚がまったく甦《よみがえ》らず難儀したが、それがようやく元に戻ってきたころだった。授業ではフランス語の基本文法を教え、時折フランスの大学の事情や街の雰囲気、服飾のセンスなどの話を織り交ぜた。とくにフランスの学生が考えと行動において、自律性を持つ大人の個人である点を強調しておいた。

その後一年して、私は甲州街道をさかのぼって東京の調布にある電気通信大学にフランス語専任講師として着任し、十二年奉職した。そしてさらに甲州街道を上って、新宿を通過し、靖国通りに入って千代田区市ヶ谷の法政大学第一教養部にフランス語担当の教授として赴任した。二〇〇〇年四月、ちょうど構内にボアソナード・タワーが竣工したときで、幸運にもこの高層ビルに個人研究室をあてがわれた。

部屋に入るとすぐに私は北側の大きな窓のシャッターを開けた。すると、大都会の街並みが一望のもとに見渡せ、遠く関東平野が群馬や栃木の山並みに消える果てまで望まれた。眼下にはJR中央線、神田川の流れる外濠、そして外濠通りから少し上った斜面に日仏学院の白亜のしゃれた建物が見えた。大学時代と院生時代、足繁く通ってフランス語の習得に励んだ所だ。何とかフランスに渡って、フランス語の論文でフランス人と渡り合いたい。自分のバタイユ解釈で彼らをうならせてみたい。そんな野心に駆られていたころである。研究者の道に進んだ私の原点の姿が眼前に立ちのぼってきたのだ。

こうして私は研究室の窓辺に立って、かつての自分に対面したわけだが、思いは複雑だった。懐かしくまた新鮮で、当時の志は初心として肝に銘じておくべきだと思う反面、あの頃の自分は狭い視野のなかで一心不乱になっていただけの話で、はたしてあれでよかったのかとも思えてきたのである。もっと別な風に生きることはできなかったものか。いや、できなかっただろうな、根っこにある性分がこれでは。取り憑かれたように何かを信じてしまうこの性格が同じままならば、何度人生を繰り返したところで、その行路は似たようなものだろう。そんな思いもしてきたのである。

私が取り憑かれていたもの、信じていたもの。それはかつても今も変わらない。

目には見えずとも、確実に、圧倒的に在ると実感され、こちらの心を打ってくるもの。それは光のように私を突き抜けていく。

文学にしろ、哲学にしろ、芸術にしろ、目には見えないこの光がとてつもなく崇高な源なのだと今も思っている。問題は、私自身が、その光源に値する器かどうかである。その光で視野がいっぱいになってしまって、融通の利かない、了見も狭い人間になっているのではないか？　この疑問が二十歳のころから私の心に巣くっていた。不完全な自分の人格をどうにか解決せねばならないと焦っていたのだ。

そんなとき、二十歳を少し過ぎたころにバタイユに出会った。「解決はない。だからこそ、各人の生は生きるに値する」。あの光源に取り憑かれた大いなる先人バタイユは、『内的体験』なる告白調の思想書の奥から私にそう語りかけてきた。以来、今日まで彼のテクストを読み続けている。

3　哲学と芸術の交わりを掲げて

二〇〇三年の四月に法政大学の第一教養部が解体され、私は同じ法政の文学部哲学科に移籍となった。

移籍した当初のガイダンスで、哲学科の学生全員を前に私は自分の教育姿勢について端的にこう述べた。「厳しさこそが君たちへの愛だと思っている。君たちを学生として尊敬しているから、厳しい授業をする」。近年はどの分野でもソフトな対応が好まれる。そんな時代の流れに逆行するような、なんとも硬直しきった宣言である。度量のなさまで透けて見える。であるからして、私は以後、人気教授になったことは一度もない。さりとて不人気に沈みきっていたわけでもなく、気脈通じる学生に毎年一定数恵まれた。

哲学科の専任教員が担当する演習授業（いわゆるゼミと呼ばれる三、四年生対象の授業）は受講者二五名を上限にする定員制で、これを超えると選抜になる。人気教員の演習では毎年選抜になるが、私においては今日まで十八年間、定員を超える応募があったのは四、五回ほどで、例年、二十名前後の集まりである。

ゼミの題目としては「哲学と芸術の交わり」を毎年掲

げ、ジョルジュ・バタイユをはじめ現代思想の斬新な芸術論や思想書を取り上げた。集まってくる学生は美術や音楽、文学など芸術に関心のある者、フランス現代思想を好む者、若い身空でこの世とそりが合わなくなりサドや澁澤龍彦などアンダーグラウンドの思想に惹かれるようになった者、そして他のゼミに関心が持てず消去法で流れてきた者など、様々である。

私が学生諸君に望むのは「自分で考え、意見を言えるようになること」だ。私は彼らに対して、一貫して単独者であることを強いた。座席を指定し、同士的・恋人的な付き合いの人間は切り離して、見知らぬ者を隣に座らせ、授業中は相互に孤立させた。発表も、テクストの一節に関し個人で資料を作成させ、教壇に単独で立たせて三十分語らせ、そのあと学生や私からの質疑にさらさせた。学生にとって勇気のいる緊張した体験になるのだが、彼らのなかにはやりがいのある発言の場と感じ、あえて発表を欲する者が毎年少なからずいる。そしてこの発表をきっかけに多くの学生が卒業論文の題材を見出したり、生きていくうえでの重要な気づきを得ている。ゼミの形式としては、小グループを作って議論させる、いわゆるグループ・ディスカッションのやり方があるが、この場合、学生の自主性が尊重され、和気あいあいと親睦《しんぼく》が深まる一方で、一回ごとの議論の到達点が低くなりがちだ。参加した学生自身がこぼしていたところによると、学生の知識や経験には限度があって、似たような次元の発言に終始し、課題を掘り下げられないまま、表層的で凡庸な結論に留まってしまう。

私は、学生の発想に奥行を与えるべく、各自の発表ごとに十五分から二十分ほどコメントを付けるのを常とした。最初は静かに語りだすのだが、いつしか前方の虚空に浮かぶ想念との対話に入り、その重要な文言を黒板に逐一《ちくいち》書き出すようになる。中学や高校の先生と違って、整序された板書にはならない。しかし学生はしっかり書き留めてくれた。

彼らに語るにあたって私は、たとえ熱に浮かされても ロゴスを重視した。人前で語るときには、書くように語れ。フランスで学んだことだ。これは原稿を棒読みすればいいということではない。言葉に生命感を入れながら、できるだけ論理的に、ゆっくりと、丁寧に語る。大枠を示しながら、何度も話を戻して問題の所在を確認し、先に進む。ここが重要だと注意を喚起しつつ、抽象的な事柄には例示をまじえて分かりやすく説明する。私は、そんなプレゼンテーションを心掛け、学生にも推奨した。

書くように話すためには、まず書けなくてはならない。私のゼミは、新入生対象の基礎ゼミのように、いやそれ以上に、文章を書かせる。毎回、課題を出し、翌週提出させ、簡単なコメントを付けて返却する。返却時には、良好な回答を複数選んで印刷し学生に配布した。学生にとってこれは、他の学生の考えや文筆力を知る機会になり、いい刺激になった。次は自分が選ばれたい、と気概を高める学生もいたのである。

4　学生Y君の発表

私なりに学生の自主性の育成には心を配った。ゼミの発表はテクストの担当箇所の要約と考察からなるが、その考察では学生の自主的な主張の展開を期待した。そしてその期待に応えるみごとな発表がこれまで何度もあった。その一つ、Y君の発表原稿を紹介しておこう。

レフ・シェストフ（一八六六―一九三八）の『ゲッセマネの夜』（一九二三）をテクストとして選んだ学期のことだ。ロシア革命時代の動乱を逃れてパリに移ってきたばかりのこの近代批判の哲学者がパスカル生誕三〇〇年に合わせて、まずフランス語で出版した野心作である。ゲッセマネとはイエスが最後の晩餐《ばんさん》のあと、自分の死を予感して恐れのうちに神に命乞いの祈りを行ったエルサレム郊外のオリーヴ園のことだ。パスカルも不合理なものに囲まれ、圧倒され、ぎりぎりの精神模様のなかで救いを欲していたのではあるまいか。それがこの書の主題である。いやそれだけではない。西欧の理性偏重の思潮を正そうとした挑発の書だったのである。当時の大方の西欧人は科学の万能を信じており、哲学は科学の下に見られがちだった。そのせいで、哲学に関わる者は科学にすり寄って延命を画策し、合理性を重視する傾向にあった。パスカルも国民的な合理的思索者として祭り上げられていた。パスカルだけではない、ソクラテス、プラトンといった西欧哲学の開祖も理性主義哲学の原点に位置づけられていた。いや閉じ込められていたというべきかもしれない。シェストフは西欧の思潮のこの偏《かたよ》りをロシアからよく見ていた。パリに移り住んで彼はまず不合理な根源をフランス人につきつけるところから新生活を開始したのだ。Y君の担当はこのシェストフの野心が語られる中盤の重要な箇所で、邦訳（川上徹太郎訳、『シェストフ選集』第二巻所収）で三ページ半に及ぶが、実に的確に要約している。

「【要約】

人は何を為すべきか。不変の理性を信頼するか、理性を超越した気まぐれな力を認めるか。哲学は前者を肯定した。ペラギウス派［古代ローマ末期の異端のキリスト教一派。アダムの原罪すら絶対的ではなく、人間は自分の意志で救いを得られるとした］が望んだのは理性と信仰の「仲裁」であったが、結局彼らは理性に信仰を従属させるこの哲学的態度を繰り返しただけであった。

一方で哲学的態度の出発点にあるソクラテス、プラトンにはこの態度と矛盾した点もある。というのもソクラテスは神秘的な存在であるダイモーンの声を理性に優先させ、プラトンにおいては更に自身の哲学を神話に触れさせ、時には入り込ませるからである。しかし「歴史」は彼らからその神秘的な部分を奪った。こうしてソクラテスに始まる全ギリシア哲学は、万人に与えられ、誰にも奪えない永遠不変の理性に存在の本質を見出すことになる。もはや世界には説明不可能なものはなく、神の恐ろしさからも人間は解放される。

以上、当該箇所でシェストフは、論を宗教的論争から哲学史へと滑り行かせながら、理性的かつ人間中心主義的な哲学全体へとその批判の矛先を向け始めている」

ここからY君は誰しも予期していなかった読書論へ考察を展開した。以下、その全文である。

「【考察】

当箇所で私が興味を持ったのはプラトンの矛盾であ

る。プラトンは『国家』において詩人、すなわち神話を語る者を批判した。この点から言って、歴史がプラトンから神話を抜き去ったことも、全く無根拠なこととは言えないだろう。プラトンの研究においては、ミュートス（神話）を批判したプラトンがミュートスを語るというこの矛盾を解消する試みが為されているようだが、その内容については今回問題にしない。今回問題にしたいのは、プラトンが矛盾しているということを我々の多くが気づかず、あるいは気に留めないということである。何故我々はプラトンの矛盾に気づかないのか。それは我々の問題にしているのが常にプラトンではなくプラトンなるものであるからではないか。以下ではプラトンから神話を奪った歴史について考え、そしてその問題を「読むこと」へと繋げたい。その中で重要なのは「なるもの」である。

当箇所において、シェストフは人間中心主義へ至る理性信仰の発端をソクラテス、プラトンに見ている。しかしながら、理性信仰の全責任をこの二人に帰しているのではないだろう。ソクラテスもプラトンも非理性的に見える側面を持っていた。ソクラテスはダイモーンを信じた。それは自身が曲がったことをするたびにこれを阻止する声である。ソクラテスは裁判に向かうとき、挑発的な弁明を行うとき、そのせいで死刑に決したときも、一度もこのダイモーンの声を聞かなかったという理由でこの一連の出来事を善いこととしている。プラトンについては、すなわちソクラテスの対話においてはしばしば神話が登場し、対話における論証を神話と切り離して考えることの容易な例もあるが、例えばプラトンの宇宙論と言われる『ティマイオス』などは宇宙の生成が論じられる際必ず神話的なものが付いて回る。ソクラテスもプラトンも、ダイモーンや造物主デミウルゴスといった人間の理性を超えたものが理性的であると考えられている点で、やはり理性を存在の本質と見ているように思われる。しかし更にこの思想家が理性を超えるものを無化する思想家へと変形しているとすれば、シェストフはその罪を二人の思想家ではなく歴史に帰しているように思う。

では歴史はいかにして思想家を変形させるのか。

シェストフの批判する歴史を進歩史観における歴史と考えれば、この歴史は分岐することのない川として捉えられよう。この川の流れを成しているのは否定の連続である。ある思想家に対する否定として次の思想家があり、その連続として哲学史が出来上がる。しかしこの進歩史の進歩を保証する核心は、この歴史のそれぞれの出来事には必ずしも現れない、言わば超越した理念を想定するところにある。否定の動きの連続が、超越した理念をより忠実に実現するという目的を持つからこそ、各々の否定には意味があり、歴史に方向性が生まれるのである。さてこのとき、歴史上の出来事であるとされる限り、既に思想家は純粋性を失っていることがわかる。ある思想家は過去の思想家に対して優であり、未来の思想家に対して劣であるような何かへと変換され、この否定関係に関する以外は無用となる。こうしてプラトンはプラトンなるものに変換される。

何故我々はプラトンの矛盾に気づかないのか。我々がプラトンなるものしか見ないからである。読むこととは、歴史を語ることと同じ暴力であるように思う。我々に著作をそれ自体において読むということが可能であろうか。我々は常にそこに否定の関係を見ること、更には超越した真理を実現する何らかの方向を想定することによってしか、著作の意味を考えられないのではないか。それは「なるもの」を作り出す行為である。だからこそ、今回主張したいのは次のことである。すなわち、読むこととは暴力に反抗する暴力でなくてはならない。我々がプラトンを読むなら、プラトンなるものが語るはずのないことをプラトンは語る。そのとき思想家は歴史の侵入から解放される。この意味で、シェストフはパスカルを読むという自身の試みを、死者が蘇るという言い方で表している。しかしだからといって、真に読むことは真のプラトンを我々に知らしめるのであろうか。私にはそうは思われない。読むことは新たにプラトンなるものを作ることに他ならないからである。シェストフが「生き返る」と言うとき、それは物からの解放を意味するが、ここに純粋さの回復を見てはならない。透明な水たまりを見たいと願っても、のぞき込めば水面には私の顔が映ってしまう。読むことは常に既に純粋さへの私の侵入であり、故に私は読むことはやはり殺害なのだと言いたい。しかしもし我々がプラトンの著作に目を通しつつも、既に自分の中にあるプラトンなるものにプラトンを当てはめるだけなら、それはパスカルを永遠の死者にした歴史と同じなのである。死者は死んだままでも生きたままでもあってはならない。殺し続けることこそ生かし続けることなのではないか。

　以上、シェストフが歴史によって近代に向けた批判が、読むこととの関連によって我々に向かってくるように思える。我々に出来ることは、読む対象を決定された方向性や二項対立から解き放ちつつも、同時に自らが方向性や二項対立を対象に与えてしまうような再殺害なのではないか。私たちはシェストフを読めているのだろうか。私が不安なのは、この考察の初めから今まで、ただこのことなのである」

いやはや、もうすでにいっぱしの思想家の主張である。こちらが弟子入りしたくなるほどだ。最後の一文など小林秀雄を彷彿《ほうふつ》させる。とにかくラディカルな批判意識がみごとに開示されている。新たに読むことの意義が既存の読解を滅ぼすことにあるとしながら、その新たな読みもまた原典を汚染しているのではあるまいか、というのである。私が付したコメントはこの発表のかなめにある「純粋性」にかかわっていた。プラトンを読むことが誰しも避けがたく自分の価値観をプラトンに付着させ「プラトンなるもの」を生み出すとして、その不純な「なるもの」を容認する視点もまたあっていいのではないか、と。これは、ほかでもない私自身の問題でもあった。あの光源の純粋さに取り憑かれてきた自分の狭さへの自己批判につながっていた。そして、同時に、自分へのとまどいも覚えた。もはや自分の不純さを鷹揚《おうよう》に認めてもいいのではないか、と自らに広さを求めてこれを肯定しだしたとき、私は自分に老いの現れを感じ出したのだ。人格に幅ができたといえば聞こえはいいが、好々爺《こうこうや》ふうにあれもよし、これもよしの穏やかな相対主義者に堕してきたのではないのかという疑問である。憑かれたように光源への意識に従い、その光源から遠い思想家や書き手をことごとく拒否していたかつての自分からの変節なのではあるまいか。じつはこの問題を私は、フーコーの晩年に仮託してゼミの学生に課題として問うてみたことがあった。若い人の見方を知りたかったのだ。

5　学生S君とN君の回答

私は、大学院に入った年の春に吉本隆明氏の講演を聞きに行ったことがある（その詳細は拙著『バタイユ』（青土社、二〇〇九年）の第Ⅵ章「死」を参照していただきたい）。演題は、日本の現代詩の最新の動向についてだったが、死と思想の変節に話は及んだ。個性的な思想に走っても日本の表現者はたいがい死期が近づくとその孤独に耐えられず、自分の思想を緩く穏やかに自然界と民衆のなかへ埋没させてしまう。西欧的な自我の思想からアジア的死生観へ帰ってきてしまう。唯一夏目漱石だけが、迫りくる死にもかかわらず、自分の個人主義と日本社会との相克を妥協なく生き抜いたと吉本氏は言い切った。私はこの指摘にいたく感じ入った。感動するものに出会うとそれを圧倒的な光源と思って信じてしまう性分である。死への恐れや老いによって思想を曲げることを罪と考えるようになってしまったのだ。

二〇二〇年度の私のゼミはフーコーの『性の歴史』第一巻『知への意志』を対象にした。この第一巻とそれ以後の巻との間には驚くほどの差異がある。第一巻において西欧近代へのラディカルな批判意識で熱を帯びていたその論調が第二巻以降は消えて、いたって平明な歴史記述に転じてしまうのである。ここに思想家としての気力の衰えを見出し、その原因を当時死に至る病だったＨＩＶに彼が罹病《りびょう》したことに求めるのは不可能な話ではない。もとより彼はアジア的死生観に帰ることなどできはしなかったが、死を意識しての思想の変化という点では似ているのではあるまいか。この捉え方の妥当性はともかく、私は、ゼミ生に対して、吉本氏の講演とそれへの感動に触れながら、課題の設問をこう提示した。

「作家や思想家において、自分の死への意識が、自分の思想を変えていくこと、それもかつての批判（例えば人間中心主義や、主体の優越の問題への批判）の強度を弱めていくことについてどう思うか。自由に論じなさい」

一週間後に提出された彼らの回答はおしなべてこの変化に寛大であって、私を驚かせた。そのなかですぐれた回答を二つ紹介しておきたい。まずS君の回答である。

「老いによって思想が変わるのは、必ずしも思想が劣化することではない。

老人が若者のように振舞おうとするから苦しくなる。老人には老人にしか出せない味があるはずだ。孔子は学問を十五歳から志すが、五十歳ではじめて「天命を知」り、学問を自由自在に扱えるようになったのは最晩年の七十歳になってからである。

小林秀雄は孔子のエッセイで「生は、私たちの持ち物ではない。私たちが生に依存しているのだ（小林秀雄、『考えるヒント2』、文芸春秋、二〇〇七年、一六一頁）」と言っている。「意識して自力で得た理想なら、他人から壊されるのを待たず、自分でも壊し得たであろうが、孔子は、理想に襲われた。下学して上達した彼の意識を見舞った理想は、独り歩きする、動かし難い事実の姿で、彼に経験されていた（同書、一五九頁）」と。

私たちは自然に生かされている。私たちを悩ます問題が年とともに変化するのも当然だ。私たち自身が一から問いをつくるのだと考えれば、年とともに精力も減退して、思考の強度が弱くなると感じるかもしれない。しかし問いとは受動的にやってくるのではないだろうか。

最後に、ドゥルーズの自殺をどう考えるべきだろうか。最晩年のドゥルーズは呼吸困難な状態が続き窓から身を投げた。これは年齢とともに思考の強度が弱った事例として扱えるだろうか。ドゥルーズの身体は本来機能していなかったのではないか。それを無理矢理治療したことで苦しみしか生まれなかった。

息のできない患者を人工の肺とチューブで延命させたとしても思考はできなかったのだ。生きた身体でしか思考はできない。ドゥルーズの問題は枯れていく身体をどこまで延命するかという医学の問題であって、思想と年齢の問題ではないように思われる」

なるほど、私たちの思考が、私たちの身体や外部の自然によって動かされていると捉えれば、老いによる変化を変節として批判することはなくなる。これは、孔子といい、小林秀雄といい、当時の吉本氏からすれば、まさにアジア的死生観に則《のっと》った世界観となろう。だがいったいそれでなにが悪い。その後の吉本氏からして、あれほど批判した資本主義社会のまさに手先へと「転ぶ」のだ。六十歳になるというのに、いや六十歳に老いてしまったからか、コム・デ・ギャルソンのスーツのCMに出るようになるのである。しかしもう一人、N君の回答によれば、それもこれもすべての変化が肯定される。

「思想家が、自らの打ち立てたそれまでの思想と矛盾するようにして後の思想を展開することには、何ら非難する点はないと私は考えます。思想家も人間であって、死や老いといったものからは逃れられない運命にあります。それは身体を伴う変化でありますが、それも包括してあらゆる変化は肯定されるものです。若年の思想から壮年の思想への変化に対し、人は進化などと価値判断をし、設問に表されるような思想の弱化を退化と捉えるのでしょうが、どちらも変化という点に価値があり、進化も退化も問題では無いのです。思想家が死を意識することによって、思想を変化させることはむしろ身体の声に忠実であることを示す証拠であり、まさしく身体に忠実である思想家こそ誠実な思想家であります。

私が思想家に求めるもの、というより絶対に思想家が固持しなければならないものは誠実さです。そして、その誠実さとは自らの身体や思考に対しての誠実であり、死に怖気《おじけ》付き思想を弱化していくことも、反対に死に鼓舞される形で思想を進化させることも、身体の傾向性に対するそれであります。従って、どのような変化も思想家自身が誠実であるのならば肯定されるべきものなのです」

すべてに「諾」を言う境地はまさにニーチェの「大いなる肯定」であり、「運命愛」だろう。こんな大きな視界を若い人に見せられて、私は自分の卑小さに思い至るとともに、慰められもしたのである。

6　学生K君の卒論

私はゼミ生の卒業論文を毎年数本指導している。多いときには十本を超えることもある。指導といっても、学生の主張に介入することはせず、むしろその主張をさらに伸ばせるように参考文献を紹介したり、論の形式に示唆を与えたりといったサイドからのサポートである。その卒論においても毎年驚くような傑作に出会う。たとえば、バタイユの共同体論を扱ったK君の卒論だ。カフカの『変身』を導入にもってくる手腕、いやその感性には、心から感動した。その序論の書き出しをゆっくり読んでいただきたい。人間にとって大切なことが書いてある。

「共同性について論じていく本論文への導入として、『変身』のある一場面についての私見を述べておきたい。

セールスマンとして働いていた青年グレゴール・ザムザはある朝目を覚ますと、自分が何とも不可解な虫獣に姿を変えてしまっていることに気付く。家族と一緒に暮らしていた彼は以後自分の部屋に隔離され、孤独な生活を送っていくことになる。部屋の扉は、家族の生活する空間との間を深淵のように隔て、扉の向こうでは彼はほとんど存在しないかのようである。何かの拍子に部屋から出てしまうと家族の平穏な生活は混乱し、父親から林檎を投げつけられるなど、残酷な仕打ちを受けることもあった。グレゴールが部屋から出てしまわないためにと扉は常に閉ざされねばならず、そうすることによってかろうじて家族は日常生活を営むことができているのだった。

問題となる場面は物語の後半部分にある。家族を支えていたグレゴールが職を失い経済的に困窮してきたせいか、彼の家族は三人の紳士に部屋を貸しだすようになる。そんなある日、グレゴールの妹がヴァイオリンの練習をしているのを聞いた紳士たちは、美しい演奏を期待して彼らの前で演奏するように要求した。しかし妹が演奏を始めると、彼らはすぐに失望してしまった。あまり上手ではなかったのである。礼儀上最後まで演奏を聴いていた彼らは、いかにも退屈そうな態度をみせ、さらには妹をからかおうとさえしていた。この日、偶然にも扉は開かれたままだった。ヴァイオリンの不器用な音色はグレゴールの部屋まで届く。彼は妹の演奏を聴いて、心を打たれた。

音楽にこんなに心を動かされているグレゴールは、本当に虫獣だったのだろうか。未知のあこがれの食べ物にでも引きよせられるように妹のところにまで進み、スカートをひっぱり、ヴァイオリンを持って僕の部屋においでよ、僕以外の奴には演奏してやる価値がないのだから、とほのめかす決心をした。

彼は気がつくと、部屋の外へと出てしまっていた。そしてすでに、頭を居間に突っ込んでいた。家族にとって自分は有害な存在であると彼自身が一番よく知っていたのにも関わらず。はじめに気づいたのは紳士たちのうちの一人である。紳士が父親に伝えると家族は混乱し、紳士たちはこれまでの家賃も払わずに出ていってしまった。演奏を中断された妹は憤慨し、もはやこの虫獣を兄だとは思っていなかった。扉は、先ほどまでヴァイオリンを演奏していた妹によって再び閉められ、グレゴールは永久に追放されてしまった。

グレゴールに下された判決はあまりにも残酷だ。妹の演奏に引きよせられ近づいて行ったものの、最も彼を拒絶したのは妹本人であった。ところで、この物語は共同性の問題と何のかかわりがあるのだろうか。一見してこの物語は、常に家族から排除され続ける孤独で哀れな虫獣の物語であり、共同性とは無縁なもののように思われる。しかし、虫獣であったグレゴールをも包み込むようなあのヴァイオリンの音色について何も問わずして本当にそうだと言えるのだろうか。グレゴールを家族という一つの「実質」をもった共同体へと迎え入れるべきだと言いたいのではない。そもそも、妹の奏でる特異な音色やそれを聞いたグレゴールの心の状態について問うことは、実質的なものを提示できるような力を何も持っていない。カフカが文学という「虚構」の中で提示する問いはそのようなものではなく、実質的な力ではない別の力を持った問いなのである。現実に対して不釣り合いとも言えるこのような問いはしかしながら、何処からやってきたとも知れぬような力でもって、「実質」が覇権を握っているこの現実を揺さぶる。偶然的に訪れる出処もわからないようなこの問いに、私は耳を傾けてみたい。自分が有害な存在であり、姿を見せるだけでも拒絶されてしまうと知っていながらも、グレゴールを部屋の外へと導いたあの音色は何だったのだろうか。何が彼を魅惑したのだろうか。本論文が最終的に問題とするのはこのことである。この物語に即して、あらかじめ本論での考えを述べておきたい。

妹はグレゴールを呼び出そうというつもりは、意識的には全く持っていなかった。それだけでなく彼女は積極的に兄を排除しようとさえしていた。しかし彼女の奏でる音色はおそらくそうではない。この音色は、彼女の手の動きや力の使い方を伝えており、この上なく彼女自身でありながらも、同時にそれは彼女を超え出ている。また妹の演奏を耳にしたグレゴールは気づけば、自らを迫害された者として規定していたはずの深淵を超え出つつある。「音楽にこんなに心を動かされているグレゴールは、本当に虫獣だったのだろうか」。

現実に存在することが許されるのは虫獣としてのグレゴールを除いた、三人の家族である。現にこの物語もそのようにして終わっている。ヴァイオリンの音色が響き渡っていた時の心の状態は形を持たず、後に残ることもないため「現実」に「存在」することができない。しかし果たして我々はこの問いかけを完全に捨ててしまうことができるだろうか。大概はこの問いは顧みられることがない。家族の日常に何の生産性もない不可解な虫獣が加わる余地を残しておくことは、平穏な生活に混乱が訪れる可能性を認めることであり、そんなことは断固として避けるべきである、というのが一般的な共同体の常識だからである。それでもカフカはあえて問いを発する。「現実的な」共同体とは別の仕方であの音色と交わるために。この問いは「現実」や「存在」を根底から揺さぶる可能性を持っている。この問いを保ち続けることによって、「非現実」の、「非存在」の共同性というものを考えること、さらにはこの視点から「現実」、「存在」を捉え返しそこにある種の豊かさを見出すこと、これが本論文のとる立場である。

家族という一個の共同体を守るためには、扉は厳重に閉めておかなければならない。しかし私は、あえてこの扉を開けたままにしておきたいのである。

ジョルジュ・バタイユ（一八九七—一九六二）は、実に多岐にわたる分野で思索を展開した思想家である。哲学、文学、芸術、宗教、社会学、経済学等々。しかしそれらすべてにおいて彼の立場は一貫している。彼はこれらの諸分野の中に設けられた厳重な「扉」を開こうとしたのだ。あるいは、「扉」が偶然にも開いてしまう瞬間に身をゆだねようとした、といったらいいだろうか。だからこそ、彼の思想はどれをとってみても今述べたような共同性の問題に通じている。本論文の主たるテーマはバタイユにおけるこの共同性の問題についてである」

私が先ほど語った、「目には見えずとも、確実に、圧倒的に在ると実感され、こちらの心を打ってくるもの」が、ここに示唆されている。グレゴールの妹が奏でるヴァイオリンの音にそれは混在している。そしてそれは圧倒的な力でグレゴールの心を打ち、彼を、出てきてはいけない空間へ導いたのだ。この力を無いものとして、非現実として処理していいのか。カフカが呈示しK君が引き受けた問いである。そして、私たちの日常の現実と目に見える存在のなかにもこの力はすでにあるとK君は考える。この現実の、この存在の、豊かさとしてあるのではないか。それはたしかに目に見える豊かさにはならないだろうし、気づくと無視されたり、余計なものとみなされ、あげくは危険視されて放擲《ほうてき》されたりする性質のものかもしれない。しかし、それでも、生きるに値する重要な何か、なのだ。K君はそう考え、バタイユとともに考察を進めていく。家族をはじめ、すでにある現実の共同体において、人と人を根底で知らず結びつける大切な豊かさなのだ、と。

7　扉はゼミの学生諸君

最近、あるご婦人から絵葉書をいただいた。

大村さんやその他の方々と長いこと社会人教育の講座に参加してくださった方だ。

《アンティーブ、夕暮れ》（一九一四）と題されたシニャックの港湾風景画の絵葉書には、モザイク画のような大きめの筆触の点描法によって、南フランスの明るくのどかな光景が描かれている。画面の右からは大きな帆船がゆっくり入港し、左下では小舟の上で出航の準備に追われる人々、その奥には夕日を浴びてオレンジ色に輝く城塞と紫色に沈む石造りの家並がコントラストをなす。何もないと言えばそれまでの風景なのだが、画面の雰囲気は瑞々《みずみず》しく、生命感に溢れている。その絵葉書の裏にはこう書かれてあった。「先生、「ない」ことを教えるのではなく、「在る」ことを教えて下さい。見出して下さい！　それは歓びです」。

この絵が描かれたのは一九一四年の一月から二月にかけてである。この年の夏、ヨーロッパは第一次世界大戦に突入した。四年間に及ぶ戦いで多くの若者が命を落とし、多くの都市が廃墟に帰した。それから二十年して人類はもう一度世界大戦を始める。バタイユは、そうした「ない」の現実のなかにも「在る」ことの輝きを見出した。ヒロシマの惨状を伝えるハーシーの報告を読みながら、地獄の様相（「意識をはっきりもって、絶えず自分に言いきかせねばならなかった、こ

Paul Signac, « Antibes, le soir », 1914,
Musées de la ville de Strasbourg

れは人間なんだぞ、と」）のなかにさえ生の崇高さがあると主張するのだ（バタイユ『ヒロシマの人々の物語』）。だが彼は第三次世界大戦を断じて望みはしなかった。戦争や殺人の犠牲者は、「ない」になったきりで「在る」ことの崇高さを体験できない。かつて人類は、もっと賢明だったのではないか。近代になり物質的には恵まれるようになったが、自分自身において「無」から立ち上がる「有」を意識することがなくなった。存在と現実の豊かさを、あの力を包蔵する豊かさを自覚できなくなった。第二次世界大戦後のバタイユは、文学、哲学、芸術、宗教、社会学、経済など人文系の様々な分野に問いかけて、この自覚の可能性を模索した。K君の卒論の言葉が響いてくる。「彼はこれらの諸分野の中に設けられた厳重な「扉」を開こうとしたのだ。あるいは、「扉」が偶然にも開いてしまう瞬間に身をゆだねようとした、といったらいいだろうか。だからこそ、彼の思想はどれをとってみても今述べたような共同性の問題に通じている」。

文学部には様々な学科がある。法政大学の場合、哲学科、日本文学科、英文科、史学科、地理学科、心理学科である。これらの学科の教員と学生が共通してバタイユを読むことが必要だなどとは言えない。私が所属する哲学科においてさえ、そんなことを言うつもりはない。ただし広がっていく可能性はある。文学部という枠組みをも超えて、「目には見えずとも、確実に、圧倒的に在ると実感され、こちらの心を打ってくるもの」への感性は伝わっていくかもしれない。デリダによれば、真理とは自分自身においてその正しさが自覚されると同時に、普遍的に誰においても正しさが認定される事柄を指す。とすれば、自覚がない場合、自覚への強要が生じる。水が沸騰する温度を知らない子供にはそのことを学ばせる強要が生じる。他方で、これとは別の真理もあるのではなかろうか。普遍的でも絶対的でもない。したがって強要されることのない真理。K君の名言がここでも聞こえてくる。「「扉」が偶然にも開いてしまう瞬間に身をゆだね」て広まっていく真理。

私には、とくに若かったころの私には、この「偶然にも開いてしまう」真理の在り方が分からなかった。だから文学部に入学後そこに文学がないと愕然《がくぜん》とし、絶望してしまったのである。もちろん当時の私の文学観などたいしたものではなかった。作者の思想や作中人物の生き方について友と胸襟を開いて語りあう。その文学共同体のよりいっそう高次の世界が、文学部には開かれているはずだと強く信じていたのだ。問題なのは、思い込みの激しい私の習性で、それがなかなか改まらなかった。

その後、偶然にも法政大学に教師として逢着し哲学科でゼミを担当するようになってからようやくに「「扉」が偶然にも開いてしまう瞬間に身をゆだね」られるようになった。先生、そんな力まないで、もっと自由な真理がありますよ、とゼミの学生諸君は暗に私を諭《さと》していたのである。彼らには本当に感謝している。

教師である私には相変わらず自分が見えずにいる。だが、私を文学へ、さらに文学部の教壇へ導くことになったテクストの紹介はできる。本書第一章に抜粋した文章は、一人の人間に、生きるに値する真理を、あの心を打つ何ものかを、発信した。その何ものかは、私という一瞬の偶然や、私の授業を選択した学生諸君の偶然を介して、またどこかへ広まっていく可能性を秘めている。先人の文章もそうだし、文学部もまた、偶然性の発信源である。

本書の第一章ではまず、私が十代から三十代にかけて感銘した文章を一部抜粋ではあるが紹介する。なかでも埴谷雄高の『虚空』の手紙は、あの崇高な光源に取り憑かれた人々の歴史を語っているようで、今でも私には特別な思いを生じさせる。太陽を求めて倒れていくビルマのシャン地方の倒木の道こそ文学部の核心を表現しているのではあるまいか。今どき、太陽を求めて倒れる倒木がいいだなんて、これだから文学部は……と眉をひそめる人もいるだろう。グレゴールの妹が弾くヴァイオリンに興ざめした紳士たちのように。だがその音に心を惹かれたグレゴールはどこかにいるはずだ。第二章ではそのように倒れていく人を求める私の心情の発生を、かつて聞いた言葉「文学共和国」に託してみた。第三章ではそのような人々の本場フランスを「愛の国」として、高校までの授業ではおそらく紹介されない文章と共に追ってみた。いずれも、私の学部と大学院の授業で語りきれなかった話である。

Chapter One

第一章 私の心に残る十五のテクスト

文学とは不思議なものだとつくづく思う。一人の人間の心の中でいつまでも輝き続けているのだから。グーテンベルクの銀河系。今や活版印刷による紙媒体から電子媒体へ、文章の星々は広がりつつある。そのほんの一掬《ひとすく》いのスターライトをここに紹介したい。

1　生の思い出
――バタイユ「ニーチェについて――好運への意志」

厚い葉の小さな植物を見ていたら私はふとカタロニア地方の農家のことを思い出した。その農家は、人里離れた谷間にひっそり建っていた。私はそこへ、森の中を長いことさまよい歩いた末に偶然行き着いたのだった。けだるく静まりかえった午後、燦々と輝く太陽の下に、堂々たる門がそびえていた。門はすでに荒れ果てていて、その何本もの柱の頂きには鉢からアロエが伸びていた。幼年、恋、農作業、祭り、老年、いさかい、死等々のために人も通わぬ孤独な谷間に建てられた家を思い出したとき、その回想のなかには魔法のような生の神秘が漂っていた。

（バタイユ『ニーチェについて――好運への意志』第三部日記、「一九四四年六月―七月、時間」、拙訳）

カタロニアはフランスと国境を接するスペイン東部の地方。中心都市はバルセロナ。バタイユは一九三〇年代にそこを何度か訪れている。アロエは厚手の葉の植物で、この無意志的回想の光景を彩《いろど》る。一九四四年の六月六日に連合軍によるノルマンディー上陸作戦が決行され、第二次世界大戦のヨーロッパ戦線は大きく変化しつつあった。バタイユはパリ近郊の村サモワ＝シュール＝セーヌにいてドイツ軍の敗走を目の当たりにすることになる。

『ニーチェについて――好運への意志』はニーチェの「運命愛」を広く偶然の到来すべてへの肯定と受け止めて、逼迫《ひっぱく》する社会情勢から、日常のささやかな生の世界まで、ときに哲学的、ときに詩情豊かに語る。この作品を全編翻訳してみて私の心に残る断章はいくつもあるのだが、記憶の底から間欠的に甦《よみがえ》ってきて無性に読みたくなるのがこの谷あいの農家の回想なのである。

2　赤い花の伝言――**夏目漱石「それから」**

誰か慌ただしく門前を馳《か》けて行く足音がした時、代助《だいすけ》の頭の中には、大きな俎下駄《まないたげた》が空《くう》から、ぶら下っていた。けれども、その俎下駄は、足音の遠退《とおの》くに従って、すうと頭から抜け出して消えてしまった。そうして眼が覚めた。

枕元を見ると、八重の椿《つばき》が一輪畳の上に落ちている。代助は昨夕《ゆうべ》床の中で慥《たし》かにこの花の落ちる音を聞いた。彼の耳には、それが護謨毬《ゴムまり》を天井裏から投げ付けた程に響いた。夜が更けて、四隣《あたり》が静かな所為《せい》かとも思ったが、念のため、右の手を心臓の上に載せて、肋《あばら》のはずれに正しく中《あた》る血の音を確かめながら眠《ねむり》に就いた。

ぼんやりして、少時《しばらく》、赤ん坊の頭程もある大きな花の色を見詰めていた彼は、急に思い出した様に、寐《ね》ながら胸の上に手を当てて、又心臓の鼓動を検し始めた。寐ながら胸の脈を聴いてみるのは彼の近来の癖になっている。動悸《どうき》は相変らず落ち付いて確に打っていた。彼は胸に手を当てたまま、この鼓動の下《もと》に、温かい紅《くれない》の血潮の緩く流れる様を想像してみた。これが命であると考えた。自分は今流れる命を掌《てのひら》で抑えているんだと考えた。

（夏目漱石『それから』第一章冒頭）

代助は親の金で無為徒食を決め込んでいるが、かつて心を通わせた三千代が夫とともに上京するとの知らせを受ける。小説の冒頭はこれから起きる登場人物たちの人生の激変を暗示してみごとである。代助と三千代の再会と逢瀬、世間に抗しての人生の新たな決意。赤い椿の花は三千代の恋情だろう。心臓を病んではいるが、代助に大切なものは何かと熱く呼びかけている。赤は代助の血潮の色でもあり、やがて彼は職を求めて喧騒の社会へ出ていく。

恋愛に大きな価値を置く作者のロマンが私は好きでたまらない。三千代が百合の花束を持って代助を訪れる場面など今もって感じ入ってしまう。

3　国境の湖を渡る二人

――――ヘミングウェイ「武器よさらば」

夜明け前に霧雨《きりさめ》が降りだした。風は静まっていた。あるいは湖水の彎曲部《わんきよくぶ》に接している山々のために風がさえぎられたのかもしれない。夜が明けてくるのがわかると、ぼくは腰をすえて、懸命に漕ぎだした。現在どのへんにいるのかわからなかった。なんとかスイス領の湖にはいってしまいたかった。夜が明けそめると、ぼくらは岸のすぐ近くにいた。岩だらけの岸と木立ちが見えた。

「あれは何かしら?」キャサリンが言った。ぼくはオールにもたれて耳をすました。湖面を走るモーターボートの音だった。ぼくは岸のすぐそばまで漕ぎよせて、じっとしていた。エンジンの音が近づいてきた。すると、すこし後方の雨のなかにモーターボートが見えた。船尾《とも》に四人の税関監視員がいた。アルプス帽を目深にかぶり、マントの襟を立て、カービン銃を背負っていた。朝が早いので、みんな眠そうだった。帽子につけた黄色い線とマントの黄色い襟章が見えた。モーターボートは、そのままエンジンの音をひびかせて雨のなかに消えた。

ぼくは湖心に向って漕ぎだした。ぼくらのボートが、それほど国境に近づいているとすれば、街道にいる哨兵《しようへい》から呼びとめられてはまずかった。やっと岸が見えるところにいるようにして、雨のなかを四十五分間漕ぎつづけた。またモーターボートの音がした。エンジンの音が湖水を遠ざかるまで、じっとしていた。

「どうやらスイス領にはいったらしいよ、キャット」ぼくは言った。

「ほんと?」

「スイスの陸軍にお目にかかるまでは知る方法がないがね」

「それからスイスの海軍ね」

「スイスの海軍とくると、ぼくたちにとっては笑いごとじゃないぜ。さっき音がしていたモーターボートは、きっとスイスの海軍だよ」

「スイスに着いたら、すばらしい朝食を食べましょうよ。スイスには、すてきなロールパンやバターやジャムがあるのよ」
（ヘミングウェイ『武器よさらば』第三十七章、大久保康雄訳）

第一次世界大戦（一九一四―一九一八）のさなか。イタリアとスイスの国境にまたがる南北六五キロのマジョーレ湖。アメリカ人でイタリア軍に志願したヘンリーはイギリス人看護士キャサリンと恋におち、深夜、手漕ぎのボートで国境を越える決意をする。永世中立国の美しい湖畔のカフェで彼らは果たしてロールパンを手に取ることができただろうか。ヨーロッパの風土、料理、酒へのエキゾティックな言及とともに、登場人物たちのシンプルで真摯な言葉がヘミングウェイの西欧滞在時代の小説の魅力になっている。

雨降るストレーザの病院のバルコニーでふと「雨が怖い」とつぶやき、そのわけをしきりに知りたがるヘンリーに「ときどき自分が雨のなかで死ぬところが見えるからよ」（第十九章）と打ち明けるキャサリンの言葉が胸に響いてやまない。中学三年の夏に読んだときからである。

4　追憶も忘却も消えていく世界へ
――立原道造「のちのおもひに」

夢はいつもかへつて行つた　山の麓のさびしい村に
水引草《みづひきさう》に風が立ち
草ひばりのうたひやまない
しづまりかへつた午《ひる》さがりの林道を

うららかに青い空には陽がてり　火山は眠つてゐた
――そして私は
見て來たものを　島々を　波を　岬《みさき》を　日光月光《につくわうがつくわう》を
だれもきいてゐないと知りながら　語りつづけた……

夢は　そのさきには　もうゆかない
なにもかも　忘れ果てようとおもひ
忘れつくしたことさへ　忘れてしまつたときには

夢は　眞冬の追憶のうちに凍《こほ》るであらう
そして　それは戸をあけて　寂寥《せきれう》のなかに
星くづにてらされた道を過ぎ去るであらう
（立原道造「のちのおもひに」）

わずか二四歳で逝った詩人の第一詩集『萱草《わすれぐさ》』に収められた美しく、また深い視世界の詩である。信濃追分の高原、そこから臨まれる浅間山や八ヶ岳の眺めを背景に、過ぎ去った日々への追憶と忘却がこの詩人のライトモチーフになっている。「夢」とは立原道造その人の心のこと。紀伊半島の海岸沿いや奈良の古寺を訪ねた回想を語ったあと、自らの死ののちへ「夢」は辿り着く。もう思い出すことも忘却することもできない世界へ入っていく、詩人として絶望の境地への想いが、この詩に深い影を落としている。

旧制中学の入試当日、数学の試験の最中に、見回りの教員が肩越しに彼の答案を見て「君は入るかもしれないね」と呟《つぶや》いたそうな。「立原君は痩せすぎを恥じて洋服屋に寸法を計らせなかった」とも。親交のあった私の伯父（母の兄）の回想である。「立原君を連れてきたよ」と小石川の家に招いて、いろいろ自作の詩集を見せてもらったとき、母は、病弱そうな詩人には近寄りがたいものを感じて、遠くで見ていたとか。立原ファンからすれば、もったいない話だ。が、死の影はこの詩人が十代のときから外見に宿っていたのかもしれない。

私自身が彼の作品に接したのは大学受験用のZ会通信教育の現代国語の問題においてだった。たった十四行の日本語が別世界への入り口に思えたものだ。信州は私の父の故郷でもある。その自然から文学の世界へ。文学部に入りたいとせつに憧れを抱いていた時期のことである。

5　虚空に憑かれた《垂直の精神》——埴谷雄高「虚空」

ジャングルで苦しんでいる貴方の身を思いやつているとき、私は偶然一人の友人から、ビルマのシャン地方にあるひとつの密林の話を聞きました。この密林は周囲七十哩〔マイル〕ほどで、遠くから眺めると、土人が怖れている形もなくただ薄黒い幽霊の棲処のように見えるそうです。そこには四つの足で走る如何なる獣も棲んでいません。彼等がとつて食う他の生物が棲んでいないのです。この密林に生えた樹は数十呎〔フィート〕に延びていて、この森にはいつたばかりのところでも道がありません。正午、太陽が真上にさしかかつたとき、高い樹と樹のあいだにあるわずかな空間から黄ばんだ光が、数瞬、さしこんできます。けれども、太陽が僅かな角度でも斜めになると、陽の光は見透せぬほど高い虚空にとまつて、森全体が薄暗くなつてしまうのです。この密林にある樹はその太陽の光を索めてひたすら上へ延びあがり、互いの樹上へのびあがろうと競いあつているそうです。そして、あまりに上へばかり延びようとする樹は、数百年にわたつて同じ繊維質が重なり積まれた軟らかな土壌の上に立つて、その根が弱くなつているとのことです。風もない或る日、その樹のひとつが倒れることがあります。数十呎に直立したその樹が真近かな樹へのしかかると、その他の樹はさらに隣りの樹へのしかかり、もはや次々に将棋倒しとなつてひとつの列に打ち倒れてゆくのです。その響きを森のそとで聞いていると、はじめ遙かな天空の果てから近づいてくる遠雷がずしんと大地を揺りたてる重い響きをたててはずみあがり、そしてそのあたりのすべてを圧し潰して轟々と虚空を走つてゆくのに似ているそうです。ただこの森の響きは容易にとまらない。もうとまるかと思うときにも、息をとめて聞きいつているこちらの胸を締めつけて、それは数十間、数百間、或るときには数哩にわたつて凄まじく倒れつづけて行くそうです。そんなときは、日頃ひとの近寄らぬこの薄暗い森が自身をもちきれなくなつた狂暴な発作に憑かれたように思われるとのことです。薄暗い森のなかから、その森自身をひき裂きこなごなに敲ち砕いている果てしない咆哮が聞えるのです。そして、その森のなかに一筋の真直ぐな道が展けてゆきます。薄暗いなかを太い幹が斜めに切つて倒れてゆくと、そこにぽかりと開いた空間にわーんと羽虫が舞いあがつてその背後から或いは前から眩ゆい陽の光が揺れる垂幕のようにさーつと射しこんでくる。それはその樹が自身を通せるだけの幅狭い道なのです。果しもなく広く薄暗い森のなかにそこだけぽかりと陥こんだように一筋の真直ぐな道ができるのです。私は想像できます。樹が倒れつくしてしーんと静寂につつまれてしまつた森のなかの出入口もない一本の長い道にゆらゆら揺れている陽光の寂莫を。この樹が倒れてゆくさまを、ときたま、高い台地から土人が眺めていることがあるそうです。その土人にこの薄暗い森へはいつてみないかと誘つてみると、身を顫わせて拒むとのことです。けれども、その土人達の古老を無理にひきつれて、この薄暗い森にわけいり、そこにできたその一筋の真直ぐな眩ゆい陽光の揺らめく道を指し示したら、恐らくいうでしょう。ここは神の通つた道だ、と。そしてそれが貴方なら恐らくこう直截にいうだろうと思います。太陽を索めすぎて根元が弱くなつた樹が倒れたのだ、と。

私は、貴方にいいたいのです。どこにもそのシャン地方の密林はあるのだ、と。私は虚空に轟々と走ってゆく響きをつねに聞いているような気がするのです。想いかえせば、貴方といつしよに愉快な小悪魔どもが飛びはねるあの悪魔学《デモノロギイ》の歴史に読みふけつていた頃も、その私の性癖はあつた筈です。私が時折、はたとまつたまま数瞬ぼんやりしているのに貴方も気づいていたことと思います。そうなのです。私がそこから出られぬ歴史のなかを歩いているときでも、私の視界をひたすら水平に誘うこの大地の上の何処かを歩いているときでも、私は、時折、はたと憑かれたように立ちどまるのです。そして、私は真上の虚空を眺めあげます。虚空……そこには目にとまる何物もなく、私が敢えて何物かをつけ加えるひとつの蜃気楼の影だにないとしても、しかもなお、私はそこに轟々と走りかすめてゆくものから目がそらせず、真上に顔を向けたままじつと佇みつくしているのです。私はでき得べくんば、そのまま化石してしまいたいくらいです。こんな私の衝動を、貴方はひとつの自覚とは認めないでしよう。だが、私はそれをひそかに《垂直の精神》と名づけているのです。そして、それが私の自覚です。

貴方はジャングルで苦しんでいます。貴方がそこから帰つてきたとき、恐らく貴方はこの私が見知らぬ多くのことを語つてくれるでしよう。だが、私は貴方が何かの機会であの薄暗い森が幽霊の棲処のように拡がつているシャン地方を訪れていることがあつたら、なお喜ばしいと思つています。そして、そのときは貴方は、たとえ根元から倒れても虚空につきたつ以外にない私の自覚を吟味してくれなければいけません。

（埴谷雄高『虚空』）

「お前たちのレポートを読んでいると前頭葉が腐ってくる」と教壇で悪態をついた私に、ゼミ生は卒業時「前頭葉」と足の裏に書いた犬の人形を贈ってくれた。その私が大学三年のとき、埴谷雄高のこの文章はまさに光線のごとくストレートに私の前頭葉を射抜いた。じっさい、ここには当時から私の人生を牽引していた大切なことが語られている。いや私だけではない。即物的な欲求が絡み合う人の世のジャングルに生きながら、なおも生の魅惑に憑かれてやまない人々の心がみごとに表現されている。人間の本質的な「性癖」。これといって形もなく、姿が見えるわけでもない、ただの虚空に向けて、文筆家は文を練り、ヴァイオリニストは技を磨く。水を熱く水蒸気に変え、やがては大気に消し去る、ただそれだけのことになんと多くの人が夢中になり、なんと多くの人がそこに感動を覚えてきたことか。特別なことが問題なのではない。私たちが日々発する言葉、顔の表情、手足の仕草、そこからもじつは豊かな無の魅力が放たれているのだ。神々しいシャン地方の倒木の道は私たちのすぐそばに開かれている。

6　夜に目覚める――カフカ「夜」

夜のなかに沈んでいる。ときおり頭をうなだれて、考えごとに沈むように、夜のなかにすっかり身を沈めている。まわりでは、人びとが眠っている。人間が家のなかで、がっしりしたベッドのなかで、堅固な屋根の下で、マットレスに手足をのばし、あるいはうずくまって、シーツにくるまり、ふとんをかぶって眠るというのは、らちもないお芝居、無邪気な自己欺瞞である。ほんとうは、かってそうであったように、またいつかはそうなるであろうように、荒涼たる砂漠に集まったにすぎないのである。野外の幕舎、数かぎりもない人間たち、軍団のような大勢の人びとが、むかし立っていた場所に、つめたい空の下のつめたい大地のうえに身を投げだし、額を腕に押しつけ、顔を地面にむけて、安らかに眠っている。そのなかで、おまえだけは、目をさましている。夜番をつとめている。そして、おまえのそばの薪の山からとりだした火のついている木切れをふりまわして、つぎの夜番をさがす。なぜおまえは起きているのか。ひとりは起きていなくてはならないということになっている。ひとりは、ここにいなくてはならないのだ。

（カフカ「夜」前田敬作訳）

一九二〇年十月、カフカ三七歳のときに書き上げられた短文である。彼自身、題名はつけていなかった。小説かどうかも不明である。ただ、言わんとするところは伝わってくる。夜はじつは戦場のようなところで、そこで多くの人が冷たい大気と土に身をさらしたまま死んだように眠っている。戦闘の危険性、野外の過酷な条件。だからこそ自分のような夜番が少なくとも一人は必要なのだ。「火の付いている木切れ」とは文筆のことなのだろうか。

カフカといえば『変身』や『審判』、『城』の主人公のように孤独のうちに不条理な現実の犠牲になっていく人間模様が想起されるが、それを綴る彼の意識の根底には、このような夜に眠る人々を守る使命感、倫理感、そして次の夜番への期待があったのだ。読後、私は意外の念に駆られ、カフカへの思いを新たにした。なおこの短文が、第一次世界大戦の記憶の生々しい時期に書かれたこと、カフカが大の愛犬家であったことも想起されてよいだろう。

7　偽公爵、雨の夜空に札束を撒き散らす
――ドストエフスキー「悪霊」

「そこで、旦那さま、三ルーブリばかりお恵み下さいますでしょうか、いかがなもので？　本当にもうわっしの心の謎を解いて、真底のところを知らせて下すっても、よさそうなもんじゃございませんか。なにぶんわっしどもは人様の助けがなくちゃ、どうにもやってゆけませんのでねえ……」

ニコライは大きな声でからからと笑い出した。そして、細かい札で五十ルーブリばかり入った金入れをかくしから取り出すと、束の中から一枚ぬき取って、浮浪漢に投げ出してやった。それから一枚、また一枚……フェージカは宙にそれを受け留めようと、飛び廻った。札はひらひらと泥の中に飛び散った。彼は『ええっ、ええっ！』と叫びながら、札の後を追うのだった。ニコライは、とうとう一束すっかり抛《な》げつけてしまうと、やはりからからと笑い続けながら、今度はもう一人きりで、裏通りをすたすたと歩き出した。浮浪漢は後に残って、ぬかるみの中を四つん這いに這い廻りながら、風に吹き散らされて水溜りの中に浮かぶ札を捜していた。そして、まる一時間ばかりも闇の中で、『ええっ、ええっ！』と叫ぶ、引きちぎったような声が聞えるのだった。

（ドストエフスキー『悪霊』第二篇第二章「夜（つづき）」米川正夫訳）

ニヒリズム。この世の何にも価値はないとする思想。愛も金も、そして神も人間も、自分自身さえも信じるに値しない。悪霊のようなこの思想に心底染め抜かれたニコライ・スタヴローギンを要《かなめ》に配して『悪霊』は人間の悪を多様に展開させる。もちろん作者ドストエフスキーは、どの登場人物に対しても、その特徴を際立たせながら、人間味を与え、矛盾を体現させる。スタヴローギンとてニヒリズムの人形ではなく、極秘の妻マリヤから「偽公爵」と罵《ののし》られれば、自負心を逆撫《さかな》でられ、復讐の念に駆られる。そこをしっかり見越して待ち伏せていたのがフェージカなのだ。懲役半ばで脱獄し、故郷の都市で浮浪者となった彼は、教

会で盗みを働き、必要とあれば殺人も辞さない。政治陰謀集団の領袖ピョートルに取り入って、スタヴローギンの人となりはすでに熟知していた。富裕で淫蕩で、心の底に虚無の闇を広げるこの男は、しつこく迫れば必ず転ぶ。策を弄すれば必ず大枚が手に入る。雨の降る夜、河岸でフェージカはこの生まれの良いニヒリストを待ち伏せていた。橋を渡れば、彼の潜む貧民街、彼曰く「悪魔が籠の中へ入れて、振り廻したようなところ」なのだが、そこにはまたスタヴローギンの隠された妻、足の悪い白痴のマリヤと自称大尉で飲んだくれの兄も住んでいた。そのマリヤに愛の不在を見抜かれひどく罵られた帰路、スタヴローギンは、この兄一家の殺害をほのめかすフェージカに笑いながら札を次々夜空に舞い上げるのである。

この場面は、悪を手段にして強《したた》かに生きる無法者と、悪に呑み込まれ全てを高らかに笑うニヒリストの対比をみごとにヴィジュアル化している。ドストエフスキーはこの二人を内面に棲まわせていた。私はそのどちらにもなれず、《文学共和国》の辺境にいる。

8　西欧中世との呼応

——小池寿子「死を刻む時計　ストラスブール」

中央駅に近いホテルの窓からは、暗雲を尖塔が射抜いているのが見える。初秋ともなると、靄の深くたれこめた朝はひときわ肌寒い。

ピンクの小花をちりばめた壁紙に身を寄せるように、埃をかぶったスチームが置かれている。私はトランクからセーターを取り出し、すっぽり被ると、ふたたび窓辺から尖塔を眺めた。

大聖堂に切り裂かれるように雲がちぎれてゆく。鈍い光のもとでは、褐色の街並がようやく鼓動をはじめたようだ。階段状の破風をもつ屋根、煙突やところどころに突き出た塔。そのでこぼこした褐色の固まりから、そこはかとなく生活の気配がたちのぼってくる。

わずか三キロメートルほどでドイツに接するこの都市は、ライン河、ローヌ河、そしてマルヌ河の三つの大河を結ぶ運河の合流点でもある。交通の要衝はまた、民族と文化の十字路であり、数知れぬ人々が通り過ぎたことであろう。あるいはここにとどまり、骨を埋めた異邦人も多かったにちがいない。そもそもアルザスでは、異邦人などという言葉はふさわしくない。

川面に揺れるくすんだ家並を眺めながら、「ストラスブール」と長く尾を引くアナウンスを聞いて、やっとこの街に宿をとる気になったのは、夕刻に降りしきる小雨に旅の疲れがひと思いに出たからであった。むろん、見るべきものはたくさんある。ゴシック時代の大聖堂、美術館や資料館。そして何よりも、かつて「死の舞踏」が描かれていた街の匂いを嗅ぎたかった。十五世紀にドメニコ派の僧院タンプル・ヌフに描かれたこの壁画は、百年も前に焼失してしまっている。それでもなお、死にまつわる美術は、こうした歴史を引きずる都市に残ることが多い。

中世という時代に親しむようになってから、「ストラスブール」の名は魔女狩り、異端審問、ユダヤ人虐殺などの言葉と重なり合い、つねに重苦しい響きとなって身にこびりついていた。

「ストラスブール」と低く余韻を残す列車のアナウンスは、さびつきかけていた響きを呼びさまし、私を四方からの濁流をのみ込んだこの国境の土地に引き止めたのであろう。

出かける用意を整え、階下で朝食をとる頃には、もう薄日がさしていた。秋ぐちにはことさらカフェ・オ・レがうまい。漆黒の闇が乳白色の靄に溶けてゆくようなどろりとした液体を飲みほすと、ようやく身体も暖かくなってくる。

「カテドラルへはどのように……」

フロントで新聞を読んでいた宿主に尋ねると、あきれた顔でこちらを見た。

「あそこに見えるのがカテドラールだ」

そう、あの尖塔をめざして歩けばよいのだ。道順など必要ない。

駅前の広場を抜け、旧市街に入っても、どこからうらさみしい雰囲気は消え去らない。

「ストラスブール、カテドラール……」

その名を口にのぼせながらしばらくゆくと、尖塔を覆《かく》していた家並がとぎれ、大きな茶褐色の石塊が忽然と姿をあらわした。ヴォージュ山地から削られた薔薇色の砂岩でできた西正面。岩山のごとくそそり立つその正面は、色褪せ、煤けた薔薇色に変じている。

無数の彫像群とゴシック聖堂特有の細長いアーチが林立する古びた巨石は、今にも崩れんばかりに頭上を被っている。アーチ型の牢獄で身をよじる彫像は、さながら業火に焼かれ、断末魔の叫びを上げているようだ。耳をつんざくその悲鳴は、めらめらと燃え上がる石牢を突き抜け、たれ込めた雨雲に吸い込まれるかと思えば、一挙に旋回し、地鳴りとなって足もとをすくう。

（小池寿子「死を刻む時計　ストラスブール」『死者のいる中世』）

研究者がエッセーを書くことはままあるが、この文章は別格の気配である。中世の街と書き手の感性との深い呼応が冒頭から文章に漂っているのだ。駅近くのホテルで迎えた初秋の朝、その前の晩に聞いた列車のアナウンス、そしてまた濃厚な朝食のカフェ・オ・レへ。たくみな構成に織り込まれた文章は一文一文その豊かな脈動において大聖堂の西正面の図像世界につながっている。この書き出しを書店で読んだとき私はどんどん引き込まれていき、異世界へ導かれた。そしてまた大いに鼓舞された記憶がある。新たな文筆の可能性が開かれた。そう思ったものだ。私もその後、中世関連の文章を書くようになるのだが、しかしとうていこの濃度には及ばず、今もって「遠方のパトス」を仰ぎ見る体《てい》である。

研究者の対象理解の程度は、無味乾燥な論文ではない文章をどれだけ書けるかによって推しはかられる。かつて国文学の同僚が私にそう力説していたが、これが正しいとすると、僭越ながら、この著者の中世文化の理解はたいへんな深さだということになる。

9　十七歳、生の魅惑が眼前に広がりだす頃

――室生犀星「性に眼覚める頃」

私は六十に近い父と一しょに、寂しい寺領の奥の院で自由に暮した。そのとき、もう私は十七になっていた。父は茶が好きであった。奥庭を覆《おお》うている欅《けやき》の新しい若葉の影が、湿った苔《こけ》の上に揺れるのを眺めながら、私はよく父と小さな茶の炉《ろ》を囲んだものであった。夏の暑い日中でも私は茶の炉に父と一緒に坐っていると、茶釜《ちゃがま》の澄んだ奥深い謹しみ深い鳴りようを、却って涼しく爽《さわ》やかに感じるのであった。

父はなれた手つきで茶筅《ちゃせん》を執ると、南蛮渡《なんばんわた》りだという重い石器時代のうつわものの中を、静かにしかも細緻《さいち》な顫《ふる》いをもって、かなり力強く、巧みに掻《か》き立てるのであった。みるみるうちに濃い緑の液体は、真砂子《まさご》のような最微な純白な泡沫となって、しかも軽いところのない適度の重さを湛えて、芳醇《ほうじゅん》な高い気品をこめた香気を私どものあたまに沁《し》み込ませるのであった。

私はそのころ、習慣になったせいもあったが、その濃い重い液体を静かに愛服するというまでではなかったが、妙ににがみに甘さの交わったこの飲料が好きであった。じっと舌の上に置くようにして味うと、父がいつも言うように、何となく落ちついたものが精神に加わってゆくようになって、心がいつも鎮《しず》まるのであった。

「お前はなかなかお茶の飲みかたが上手《うま》くなったが、いつの間に覚えたのか……」などと、父は言ったりした。

「いつの間にか覚えてしまったんです。いつもあなたが服《の》んでいるのを見ると、ひとりでに解ってくるじゃありませんか。」

「それもそうじゃ。何んでも覚えて置く方がいい。」

そういうとき、父はいろいろな古い茶碗を取り出して見せてくれた。初代近い窯《かま》らしいという古九谷《こくたに》の青や、まるで腐蝕《ふしょく》されたような黒漆な石器や、黄と緑との強い支那のものなど、みな幾十年来の数繁き茶席の清い垢《あか》と光沢とによって磨かれたのが多かった。そういうものは私にはわからなかったが、父の愛陶の心持がいつの間にか私をして、やはり解らぬままに陶器を好くようにさせていたことは実際であった。

（室生犀星『性に眼覚める頃』）

清楚な抒情を伝える名文として誉れ高い書き出しだが、生命の表出に気づきだし魅惑されだす十代後半の在り方が示唆されていて貴重な文章である。この頃の一日は六十代の一年に相当する。いやもっとかもしれない。それほどに一日が新たな出会いに満ちているのである。出会うものが人であれ風景であれ、その生命の表情が新鮮に見えて、心を躍動させる。この小説の主人公の「私」は学校の授業にはからきし興味が持てずにいるが、父親の茶の湯から新たな生に接しだす。茶の味わい、そして陶芸の深さへ感性が開かれていくのだ。友人や異性に対しても同様で、賽銭箱を物色する女性に対して、既成の道徳で判断するのではなく、新たな生の表情に見えて、恋情さえ覚えていく。恋文を賽銭箱に入れて関係を得ようとする逸脱ぶりなのだ。フランスの詩人ランボーはその詩「ロマン」で「十七歳のときは真面目じゃない」と謳《うた》ったが、十代はまさに毎日が縁日かお祭りのようである。

私の高校時代の初期もそのようなもので、授業を抜け出して、屋上に寝そべって大空の広がりに吸い込まれるような錯覚を覚えたり、学校の界隈の午前の人と街路の静かな活気、自然な生活を発見し陶然としたことを覚えている。

10　厳しい簡潔さ――向田邦子「かわうそ」

指先から煙草が落ちたのは、月曜の夕方だった。

宅次は縁側に腰かけて庭を眺めながら煙草を喫い、妻の厚子は座敷で洗濯物をたたみながら、いつものはなしを蒸し返していたときである。

二百坪ばかりの庭にマンションを建てる建てないで、夫婦は意見がわかれていた。厚子は不動産屋のすすめに乗って建てるほうにまわり、宅次は停年になってからでいいじゃないかと言っていた。停年にはまだ三年あった。

植木道楽だった父親の遺したものだけに、うちは大したことないが、庭だけはちょっとしたものである。宅次は勤めが終わると真直ぐうちへ帰り、縁側に坐って一服やりながら庭を眺めるのが毎日のきまりになっていた。

暦をめくるように、季節で貌《かお》を変える庭木や下草、ひっそりと立つ小さな五輪の石塔が、薄墨《うすずみ》に溶け夜の闇に消えてゆくのを見ていると、一時間半の通勤も苦に思えなかった。文書課長という、出世コースからはずれた椅子も腹が立たなかった。おれの本当の椅子は、この縁側だという気がしていた。

厚子も夫の気持が判っているらしく、いつもは二言三言で引き下るのだが、この日は妙にしつこかった。宅次もいつになく尖《とが》った声で、

「マンションなんか建てたら、おれは働かないよ」

と言い返した。

指先に挟《はさ》んだ煙草が落ちたのは、そのときである。

風かな、と思った。

ふっと風にもってゆかれた、そんな感じだった。

「風があるのかな」

宅次は呟《つぶや》いた。

「風なんかないでしょ。風があれば、洗濯もの、乾いてますよ」

厚子は縁側に出てくると、自分の人さし指をペロリと嘗《な》め、蠟燭《ろうそく》を立てるように立てて見せた。

「風なんかありませんよ」

九つ年下の厚子は、子供のいないせいもあるのだろう、年に似合わぬいたずらっぽいしぐさをすることがある。西瓜《すいか》の種子みたいに小さいが黒光りする目が、自分の趣向を面白がって躍っているのを見ると、宅次は煙草のことを言い出すのが億劫《おっくう》になった。

中年。手足のしびれ感。何という薬の広告だったたか、こんな文句があったと思いながら、沓脱《くつぬぎ》の石の上で細い

煙を上げている煙草を拾った。手袋をはめたまま物を掴《つか》むような厚ぼったい感じがすこし気になった。

あとから考えれば、これが最初の前触れだった。

この何日あとだったか、仕事中不意に目の前にいる次長の名前が思い出せなくなった。その日だったか次の日か、つきあいで酒を飲み、送りのタクシーで帰ったとき、車から降りたとたんに、糸の切れた操り人形のようにくたくたとなり、地面に坐り込んでしまった。運転手に助け起されてすぐに直ったが、あれも前兆だったのである。

指先の煙草を落してから一週間目に、宅次は起きぬけに朝刊を取りにゆき、茶の間へもどったところで障子の桟につかまりながら、わからなくなった。

脳卒中の発作だった。


（向田邦子「かわうそ」『思い出トランプ』）

簡潔な文章の連続である。作者の厳しい美意識がそうさせているのだろうが、この簡潔さのおかげで人物が生きて感じられ、庭の風景も眼に見えるようである。無駄を省いてタイトであることが逆に文章に豊饒な喚起力を与える。この奥義が何事においても大切なのだが、体得するのは容易でない。遠くへパトスを届けたいならば、声を張り上げず、鍵盤を叩かず、腕に力を入れず、筆を押さず、色を塗らず……。他者を愛するとき、語りすぎてはいけないのだ。

11　観念と現実——谷崎潤一郎「少将滋幹の母」

父は、小川に橋のかかった所へ来ると、それを渡って、なお真っ直ぐにつづいている路の方へは行かないで、川のふちへ降りて、少しばかり河原のようになっている砂地を、川下の方へ歩き出した。と、橋から一丁ばかり下のちょっと小高く盛り上った平地に、土饅頭《どまんじゅう》が三つ四つ築いてあって、それらはいずれも土が柔かで新しく、頂上に立ててある卒塔婆《そとば》も真っ白な色をしており、折柄の月に文字まではっきり分るのであった。卒塔婆を立てないで、代りに小さな松杉などを植えたのもあり、土饅頭でなく、柵《さく》で囲って、石を積み上げて、五輪の塔を据えたのもあり、簡単なのは、屍体《したい》を一枚の莚《むしろ》で蔽《おお》うて、しるしの花を供えただけのものもあったが、中には又、この間の野分《のわき》で卒塔婆が倒れ、土饅頭の土が洗われて、屍体の一部が下から露出しているのもあった。

何かを捜し求めるように土饅頭の間をうろうろしている父の跡から、滋幹は殆《ほとん》ど踵《きびす》を接するくらいに附いて行ったが、父は附けられていることを意識しているのかいないのか、さっきから一度も振り返ったことがなかった。屍《し》骸《がい》の肉を貪《むさぼ》っていたらしい犬が一匹、不意に叢の間から跳び出して慌《あわ》ててどこかへ逃げ去ったが、父はそんなものにも眼もくれなかった。彼が何かしら異常に緊張し、それに精神を打ち込んでいるらしい様子は、後姿からでも判断が出来た。そして、程なく滋幹は、父の足が止まったので、自分もピタリと歩みをとどめた瞬間に、体じゅうが総毛《そうけ》立つものを眼前に見た。

月の光と云うものは雪が積ったと同じに、いろいろのものを燐《りん》のような色で一様に塗り潰《つぶ》してしまうので、滋幹も最初の一刹那《いっせつな》は、そこの地上に横《よこた》わっている妙な形をしたものの正体が摑《つか》めなかったのであるが、瞳《ひとみ》を凝らしているうちに、それが若い女の屍骸の腐りただれたものであることが頷《うなず》けて来た。若い女のものであることは、部分的に面影を残している四肢の肉づきや肌の色合で分ったが、長い髪の毛は皮膚ぐるみ鬘《かつら》のように頭蓋《ずがい》から脱落し、顔は押し潰されたとも膨れ上ったとも見える一塊の肉のかたまりになり、腹部からは内臓が流れ出して、一面に蛆《うじ》がうごめいていた。昼を欺《あざむ》く光の下でそう云うものを見た凄《すさま》まじさは、凡《およ》そ想像に難くないが、滋幹は恐《こわ》さに顔を背けることも、身動きすることも、まして声を発することも出来ず、その光景に縛りつけられたようになって立っていた。が、父はと見ると、しずかにその屍骸に近寄って、先ず恭《うやうや》しく礼拝してから、傍に置いてある莚の上にすわるのであった。そして、さっき仏間でしていたように凝然《ぎょうぜん》と端坐して、ときどき屍骸の方を見ては又半眼に眼を閉じて沈思し出したのであった。

（谷崎潤一郎『少将滋幹の母』）

《文学共和国》。カウンターの隣の席でこの言葉をふと漏らした京都の先生は私に谷崎のこの作品を読むように促した。バタイユをやっているなら、醜さをとことん描いた彼の文章を読まないと。この推奨の言葉が忘れられず、私はしばらくしてこの小説の世界へ入っていった。最初の読後感はしかしバタイユとの違いだった。この世のどんな美も無常であり、いずれ醜くただれていく。美しきものへの煩悩を断ち切れ。それには、美の成れの果ての醜を目に焼き付けておくことだ。この仏教の「不浄観」の修行のため滋《しげ》幹《もと》の父は深夜、河原の墓場まで出向いて若い女の屍骸に寄り添い、瞑想に沈むのである。若くして別な男へ走った美しき妻への思慕が彼を絶えず苦しめていた。バタイユなら、醜さの体験を安寧のための手段にはしない。常なる観念世界で安らぐために墓場で腐乱した死骸を見よとは言わない。彼にとって墓場はよりいっそう情欲を掻き立てる生の場だ。そして醜さや肉の腐敗は、この世とともに流れる広大で騒がしく混濁した生の世界の入り口なのである。この小説末尾に現れる滋幹の母にしてもバタイユの『わが母』の末尾の恐ろしさとはかけ離れている。これが私の第一印象だった。

しかし今はまた別なふうに考えるようになっている。どれほど「不浄観」の修行に励んでもかつての妻への思いを断ち切れず、煩悩に染まったまま死んでいった滋幹の父。そして六十過ぎても、彼にとって母であるこの女性への愛に狂う滋幹。彼らへの谷崎の深い理解、心の底からの友愛が感じられてならないのである。そして、この母親の面影が滋幹の心のなかで長年のうちに美化され観念化されていったと書いたうえで谷崎はあえて、彼女をこの世の無常の世界で美しく再登場させているのだ。さらにまた「お母さま」と思わず呼びかける滋幹に沈黙したままの母の神秘にも何かありそうである。そこにこそ《文学共和国》の崇高さがあるのだろう。その高さが、いつまでたっても私には遠く、ただ煩悩によってのみ所在を伺うばかりの世界になっている。

12 美と行為の相克――三島由紀夫「金閣寺」

……私は行為のただ一歩手前にいた。行為を導きだす永い準備を悉く終え、その準備の突端に立って、あとはただ身を躍らせればよかった。一挙手一投足の労をとれば、私はやすやすと行為に達する筈《はず》であった。

私はこの二つのあいだに、私の生涯を呑み込むに足る広い淵《ふち》が口をあけていようとは、夢想もしていなかった。というのは、そのとき私は最後の別れを告げるつもりで金閣のほうを眺めたのである。

金閣は雨夜《あまよ》の闇におぼめいており、その輪郭は定かでなかった。それは黒々と、まるで夜がそこに結晶しているかのように立っていた。瞳《ひとみ》を凝らして見ると、三階の究竟頂《くきょうちょう》にいたって俄《にわ》かに細まるその構造や、法水院と潮音洞の細身の柱の林も辛うじて見えた。しかし嘗《かつ》てあのように私を感動させた細部は、ひと色の闇の中に融《と》け去っていた。

が、私の美の思い出が強まるにつれ、この暗黒は恣《ほしいま》まに幻を描くことのできる下地になった。この暗いうずくまった形態のうちに、私が美と考えたものの全貌《ぜんぼう》がひそんでいた。思い出の力で、美の細部はひとつひとつ闇の中からきらめき出し、きらめきは伝播《でんぱ》して、ついには昼とも夜ともつかぬふしぎな時の光りの下《もと》に、金閣は徐々にはっきりと目に見えるものになった。これほど完全に細緻《さいち》な姿で、金閣がその隅々《くまぐま》まできらめいて、私の眼前に立ち現われたことはない。私は盲人の視力をわがものにしたかのようだ。自ら発する光りで透明になった金閣は、外側からも、潮音洞の天人奏楽の天井画や、究竟頂の壁の古い金箔《きんぱく》の名残をありありと見せた。金閣の繊巧な外部は、その内部とまじわった。私の目は、その構造や主題の明瞭《めいりょう》な輪郭を、主題を具体化してゆく細部の丹念な繰り返しや装飾を、対比や対称の効果を、一望の下に収めることができた。

〔……中略……〕

——私は激甚《げきじん》の疲労に襲われた。

幻の金閣は闇の金閣の上にまだありありと見えていた。それは燦《きら》めきを納めなかった。水ぎわの法水院の勾欄はいかにも謙虚に退き、その軒には天竺様《てんじくよう》の挿肘木《さしひじき》に支えられた潮音洞の勾欄が、池へむかって夢みがちにその胸をさし出していた。庇は池の反映に明るみ、水のゆらめきはそこに定めなく映って動いた。夕日に映え、月に照らされるときの金閣を、何かふしぎに流動するもの、羽搏《ばた》くものに見せていたのは、この水の光りであった。たゆたう水の反映によって堅固な形態の縛《いまし》めを解かれ、かかるときの金閣は、永久に揺れうごいている風や水や焔《ほのお》のような材料で築かれたものかと見えた。

その美しさは儔《たぐ》いがなかった。そして私の甚《はなは》だしい疲労がどこから来たかを私は知っていた。美が最後の機会に又もやその力を揮《ふる》って、かつて何度となく私を襲った無力感で私を縛ろうとしているのである。私の手足は萎《な》えた。今しがたまで行為の一歩手前にいた私は、そこから再びはるか遠く退いていた。

（三島由紀夫『金閣寺』）

美が自分の人格を破壊する。だからこそ、その美を滅ぼす行為が必要なのだ。このぎりぎりの相克を主人公の「私」は、金閣を焼く寸前まで生きている。これは、ほかならない三島自身の問題であり、彼の最後の年まで続いていたのではあるまいか。最終作『天人五衰』で、あの美しい月修寺の門跡も夏の庭も人間の記憶を空無にして滅ぼしてしまうように。

　他方で三島は空無の美に犯される自分の心身を自ら破壊した。彼のバタイユ理解とは別に私は、この葛藤をもっと生きていて欲しかったと思っている。完結こそ三島の美学なのかもしれない。だが他方で美が完了に存しないことを誰よりよく知っていたのも三島ではなかったか。暗闇の現実の金閣寺に重なる幻の金閣は不確かななかに揺曳する。水面を動き出すような金閣もまた完結を拒む美の在りようなのではあるまいか。

　三島さんはいったん牢獄の中に入ってなおも書き続けていれば、さらに深い文筆に達していたはずだ。たしか自決の直後、小説家の河野多恵子がそんなコメントを残していたことを、今もときおり思い出す。こんな素晴らしい文筆力と人間観察を持った人が、ドストエフスキーの『死の家の記録』のような世界をくぐったなら、いったいどんな人間像、どんな風景を描くようになるのだろうか。

13　歴史とその外部
――マルタ・モラッツォーニ「最後の任務」

　事実、ドン・ルイスは病気だった。歩くのがやっとだったが、彼の手足が麻痺していたのは寒さのせいだけではない。森を通って、息を切らしながら反対側に抜けたが、まだあとクアコスまでの道のりが残っていたし、百姓にも会わなければいけないし、それに僧院まで戻る道のりもある。胃の口から上がってくる不快感を吐き出すように、深々と息をした。一目散に村へ急ぎ、獲物の肉を見せてくれた二人の男にもつれない態度をみせたが、ただもう帰りたい一心からだったのだ。結局、樽の重荷を背にして歩きだした。

　ジプシー女が森からこちらに向かってきて、数歩まえのところで立ち止まった。黒い、筋肉質の固い腕で、冬の厳しさはあまり感じてはいないようで、ショールも身につけていなかった。ドン・ルイスは彼女に会って、ほっとした。

「今日は、旦那さん」とじろじろ彼を見たが、戸惑ったように首をかしげ、目を細めた。それから、近寄ってくると、何の説明も求めずに、彼の肩から樽の革帯をはずし、けろりとして自分がそれを背負った。

「今朝はあたしが持って行ったげる」と彼に言った。「あたし用がないもの。行きましょ」。彼の隣に並ぶと、キサダの覚束ない足取りに合わせて進んで行った。

「君にこんな苦労をかけるわけにはいかないんだ」と郷士は口先だけにせよ、いちおうは反対してみせたが、そう言いながら、女と並んで歩き、重荷にかがみかげんの彼女の背中がはずんでいるのを、感嘆の目で眺めていた。女は重荷をこともなげに運んでいたが、彼のほうは立っているだけでも大変で、本能的に女の腕に手をやった。森を出外れると、僧院はほんの数百メートルで、まぢかに見えた。

「ここまでで結構、あとはひとりで行けますからね」ジプシー女は樽をおろして身軽になると、キサダが背負うのを手伝った。

「何とお礼を言ったものやら。あんたがいてくれなかったら、とても帰ってこられなかったところで」と、前方を見たが、これからやらなくてはいけないことを思い、げっそりした様子だ。ジプシー女は笑っていた。

「あたしに礼を言うことなんかないよ、旦那さん。今日はあんたさんが具合が悪くなる番だったのさ。あたしなら、ご覧の通りぴんぴんしてて」。にっこりすると、自分がまどろんでいたとき、かがみこんできたあの人助けのサマリアびとのことを考えていた。

「歩くようにやってごらんな、たいした道のりでなし、時間を無駄にしないでさ。さあ！」

（マルタ・モラッツォーニ「最後の任務」『ターバンを巻いた娘』千種堅訳）

西欧近代の歴史観は、文字として記録が残されているか否かを大きな識別の基準にしている。有史とは歴史があるということ、つまり文字の記録から人間の営みが実証できるということである。有史こそが歴史なのである。もちろん文字がなくても人間は営々と文明を築いてきたが、それは有史以前、先史時代、無文字文明などと低く評価されてしまう。十九世紀に近代教育が確立されるまで、文字の書ける人は聖職者か貴族のなかのごく少数のエリートに限られていた。権力者は彼らを抱え込んで、自分の歴史を書かせた。

神聖ローマ皇帝でありスペイン国王であったカール五世（皇帝在位一五一九―一五五六、国王在位一五一六―一五五六）は退位から没するまでの晩年の二年間、スペインのユステ僧院に隠棲《いんせい》したが、この小説は、この歴史に名を残す大立者が家臣のドン・ルイス・キサダに事績を筆記させる設定になっている。小説の結末に関わるので、ここで詳細には述べないが、歴史上、たいへん貴重になるはずのこの回想録をキサダは火にくべてしまう。体を壊すまで皇帝に忠誠を尽くした彼であったが、彼自身、皇帝の死後自らに課した「最後の任務」は歴史資料を消去することだった。作者マルタ・モラッツォーニは静かに示唆している。人間にとって最も大切なのは、歴史の外部にいる人々との心の交流なのだ、と。毎朝、早朝、キサダは皇帝の食卓のために僧院から森を下り、農村まで買い出しに行き、帰りには背中にしぼりたての牛乳を背負うことを繰り返した。その森の道で名も告げず彼の前に、あるいは後ろに歩く浮浪女と、(一度は「よきサマリア人」のごとくその身を案じて助け起こそうとしたが)表向きたいへん淡い、しかし心の通い合うつながりを持った。この歴史の外部が、権力者の自己本意な歴史への批判を促す。

拙著『ゴシックとは何か』、『ロマネスクとは何か』で私は文献で実証できないことへ眼差しを向けたが、そのときの心のどこかに、この現代イタリアの小説家の暗示的で、静かな伝言があったように思う。

14 翻訳の妙

——フランソワ・モーリヤック「テレーズ・デスケールー」

汽車はまだ車輌の連結ができていなかった。以前、夏休みの帰省のときや新学年が始まるとき、テレーズ・ラロックとアンヌ・ド・ラ・トラーヴは、ニザン駅でこうして待っている時間を楽しんだものだった。彼女らは宿屋の食堂でハムエッグをたべ、それから、たがいに胴のまわりに腕をまわしながらこの街道を歩いた。今夜はこんなに真っ暗な道を。だが、あのすぎ去った日々、月の光で真っ白に輝いていた街道だけが今テレーズの目に見える。あの昔の日、二人の絡《から》みあった長い影を見て笑ったものだ。話題はおそらく、女の先生や級友たちのことであったろう、——一方は自分の行っている修道女経営の女学校を、他方は自分の国立高等中学を弁護しながら。「アンヌ……」テレーズはその名を、暗闇のなかで、大きく声にだしてつぶやいてみる。まず最初に、ベルナールに語りきかせねばならないのは、アンヌのことだった……世のなかでもっとも正確ずきな男、あのベルナールに。彼はあらゆる感情を分類し、それらをばらばらに切りはなす。感情と感情のあいだに、山峡や海峡のほそい通路が網の目のように交錯しているのを、彼は知らないでいる。テレーズが生き、そして苦しんだ、あの明確にしようにもしようのない地帯へ、どのようにして彼を導きいれればいいのか？　しかしこれは、どうしてもしなければならないことなのだ。やがて、寝室にはいって行き、ベッドのふちに腰掛け、そして、ベルナールが彼女の話をさえぎるところまで彼を一歩一歩とひきずっていく以外に、どんな行為が考えられよう？「よくわかったよ。さあお立ち。許してるんだから」と、彼女の話をさえぎるまで。

テレーズは手さぐりで、駅長の家の庭を横切り、暗闇のなかで菊の花々の匂《にお》いをかいだ。一等の車室には、だれもいなかった。しかしだれかいたところで、かすかな明かりだけでは彼女の顔は照らしだせなかっただろう。色《いろ》本を読むこともできない。だが、テレーズにとって、色褪《あ》せたものにみえないような物語があっただろうか、自分の恐ろしい生涯とくらべて？　恥辱《ちじょく》や苦悶《くもん》や悔恨や疲労のために死ぬことはあるかもしれない、——しかし退屈で死んだりはしないだろう。

テレーズは車室の隅《すみ》っこにからだを縮め、目をとじた。彼女ほど頭のいい女が、この悲劇を他人に理解できるように説明できないなんて、ほんとうらしく思われるだろうか？

〔……中略……〕

「アンヌ、あんたはね、人生というものを知ってはいないのよ……」と、あの遠い昔のアルジュルーズの夏、テレーズは繰りかえし言ったものだ。あの美しい夏の日々……。テレーズは、やっと動きだした小さな汽車のなかで、自分に言いきかせる——物事をはっきり見ようとするなら、あの夏の日々のほうにこそ自分の考えはさかのぼっていかねばならない。われわれの生涯のこのうえなく清浄なこの夜明けが、もっとも恐ろしい嵐《あらし》をすでにはらんでいたなんて、信じられないことだけれど真実なのだ。あまりにも青い朝の空——午後と夕方の雷雨をつげる凶兆。荒らされた花壇、折られた枝、そしてあのどろどろの地面を、それは予告している。テレーズは人生のどんな瞬間にも、反省したり何事かをあらかじめ熟考したりしたことはなかった。思いがけぬ曲がり角もなかった。気がつかぬほどの下り坂を、テレーズはくだって行ったのだった。はじめはゆっくり、それからスピードをだして。今夜のこの魂を滅ぼしてしまった女、それが、アルジュルーズの夏の日々にきらきらと輝いていたあの少女なのだ。そのアルジュルーズへ、今彼女はこっそりと、夜の闇にまもられて帰って行く。
ほんとに、疲れ果ててしまったわ。できてしまったことの、かくされた動機を発見したところで、どうなるっていうの？　若い女は窓ガラスごしに、死人のような自分の顔の反映のほかは、何も見わけがつかない。小さな汽車のリズムがとぎれる。機関車がながながと汽笛を鳴らし、用心深くどこかの駅に近づく。だれかの腕が左右に振っている大型の角燈。方言で呼んでいる声。ホームにおろされた子豚《こぶた》たちの鋭い鳴き声。もうウゼストだ。さらに一駅とまると、次はサン＝クレール。そこから馬車で、アルジュルーズへの最後の行程をたどらねばならない。自己弁護の準備をするのに、テレーズにはなんとわずかの時間しか残っていないことだろう！

（フランソワ・モーリャック『テレーズ・デスケールー』高橋たか子訳）

大学に入りたての頃、電車のなかでこの文章を読んでいて、私は知らず作品の世界に没入し、降りる駅をいくつも通り越してしまった。夫ベルナールを毒殺しようとして未遂に終わり、親の力で免訴になった妻テレーズ。いったいその動機をどう説明したらいいのか。複雑に絡みあった心理の道筋を単純な合理主義者ベルナールにたどらせるのは聡明なテレーズをもってしても困難なわざだった。裁判所のある地方都市から彼らの住む片田舎アルジュルーズまでの夜の道のり。そしてそれよりももっと暗く長い心の道のり。この設定もみごとなのだが、訳文がまた素晴らしく、作品の重層的な世界へ私を引きずりこんだのである。後から他の邦訳二点にあたって、そのことを再確認したものだ。そしてモーリャックの原文を開いたとき私はそこにまた濃厚な夜の世界が広がっていることに気づかされた。

翻訳とは何なのだろうか。似て非なる一つの世界の創造。原文の雰囲気に開かれていて、独善的にも閉鎖的にもならず、一つの生きた世界を醸《かも》し出すこと。和室のなかで洋室の魅力を語ることではなく、和室とも洋室ともつかぬ新たで魅力的な部屋を作り出すこと。これもまた私には今もって「遠方のパトス」なのである。

15 かつての出会いと別れに杯《さかずき》を。そして何と多くの新たな可能性が！

——**ニーチェ「悦ばしき知識」「遺された断想」**

星の友情。——われわれは友達であったが、互いに疎遠になってしまった。けれど、そうなるべきが当然だったのであり、それを互いに恥じるかのように隠し合ったり晦《くら》まし合ったりしようとは思わない。われわれは、それぞれその目的地と航路とをもっている二艘の船である。もしかしたらわれわれは、すれ違うことがあるかもしれないし、かつてそうだったように相共に祝祭を寿《ことほ》ぐことがありもしよう、――あのときは、この勇ましい船どもは一つの港のうちに一つの太陽の下に安らかに横たわっていて、すでにもうその目的地に着いたように、そして同一の目的地をめざしていたもののように見えたかもしれない。しかしやがて、われわれの使命の全能の力が、ふたたびわれわれを分かれ分かれに異なった海洋と地帯へと駆り立てた。そして、おそらくわれわれは、またと相逢うことがないであろう――万が一、相逢うことがあるとしても、もう互いを見知ってはいないであろう。さまざまの海洋と太陽が、われわれを別な者に変えてしまっているのだ！　われわれが互いに疎遠となるしかなかったということ、それはわれわれの上に臨む法則なのだ！　まさにこのことによって、われわれはまた、互いに一そう尊敬し合える者となるべきである！　まさにこのことによって、われわれの過ぎし日の友情の想い出が、一そう聖なるものとなるべきである！　おそらくは、われわれのまことにさまざまな道筋や目標が、ささやかな道程として包みこまれるような、巨大な目に見えぬ曲線と星辰軌道といったものが存在するのだ、――こういう思想にまで、われわれは自分を高めようではないか！　だが、あの崇高な可能性の意味での友人以上のものでありうるには、われわれの人生はあまりにも短く、われわれの視力はあまりにも乏しい。――されば、われわれは、互いに地上での敵であらざるをえないにしても、われわれの星の友情を信じよう。

（ニーチェ『悦ばしき知識』二七九、信太正三訳）

――そして、どんなに多くの新しい神々がなおも可能なことだろう！　宗教的本能が、いいかえれば神を形成する本能が、時ならぬ時におりおり、この私自身に蘇ってくることがあるが、そのたびごとに神的なものが、なんと違った、さまざまなかたちで現われてくることだろう！　どのくらい年を取ったのか、それともまだ若いのか、まるでわからない月世界から降ってきたような、あの無時間的瞬間に、じつに多くの奇妙なものがすでに幾度となく私のそばに近寄ってきた。……多くの種類の神々のあることを私は疑わないだろう……。ある種の静穏と軽快ささえも帯びているような神々も欠けていない……。軽やかな足は、あるいは「神」という概念に属するものかもしれない。
（ニーチェ「遺された断想」一八八八年五月—六月、氷上英廣訳）

出会いといっても好ましい出会いは少なく、また快い出会いもいつしか別れに転じてしまう。ニーチェもまた、ルー・サロメへの恋慕の一件などで、辛い別れを経験していた。だが彼は、それを運命愛という、より高次の思想で捉え直し、克服していった。起きたこと、これから起きること、それがどのようなものであれ、必然として愛せ。宿命として消極的に引き受け、受け止めるのではなく、多くの可能性を次々もたらすこの世の豊饒として積極的に愛せというのである。もちろんニーチェとて、にわかに受け入れがたい偶然に襲われ、日々それに苦しみ、不安を覚えていた。不治の病はその一例にすぎない。とてもではないが引き受けられない、そんな実存のぎりぎりのところで彼の運命愛は語られている。そしてそれがこの思想家の魅力になっている。運命愛は今の私からはあまりにも遠くに輝いて見える思想だが、それでも紹介しておきたい。

引用書誌
バタイユ『ニーチェについて—好運への意志』酒井健訳、現代思潮新社、一九九二年
夏目漱石『それから』、新潮文庫、一九九二年
ヘミングウェイ『武器よさらば』大久保康雄訳、新潮文庫、一九九八年
立原道造『立原道造詩集』中村眞一郎編集、角川文庫、一九七三年
埴谷雄高『埴谷雄高作品集2　短篇小説集』、河出書房新社、一九七一年
カフカ『決定版カフカ全集2』マックス・ブロート編集、前田敬作訳、新潮社、一九九二年
ドストエフスキー『ロシア・ソビエト文学全集』第10・11巻『悪霊（上・下）』米川正夫訳、平凡社、一九六四年
小池寿子『死者のいる中世』、みすず書房、一九九四年
室生犀星『性に眼覚める頃』、新潮文庫、一九七二年
向田邦子『思い出トランプ』、新潮文庫、一九八三年
谷崎潤一郎『少将滋幹の母』、新潮文庫、二〇一八年
三島由紀夫『金閣寺』、新潮文庫、二〇〇三年
マルタ・モラッツォーニ『ターバンを巻いた娘』千種堅訳、文藝春秋、一九八九年
フランソワ・モーリャック『世界の文学　33 ジード／モーリアック』高橋たか子他訳、中央公論社、一九六三年
ニーチェ『ニーチェ全集8　悦ばしき知識』信太正三訳、ちくま学芸文庫、一九九三年
ニーチェ『ニーチェ全集第十二巻（第Ⅱ期）』氷上英廣訳、白水社、一九八五年

Chapter Two

第二章　文学共和国によせて

1　京都でのバタイユ講義

二十年以上も前のこと、真冬の五日間、京都大学の仏文科に出講した。外部講師による集中講義のコマ割りで、バタイユを講ぜよとの依頼だった。

教室に入るとたくさんの受講者がいる。「見慣れない顔がずいぶんいるなあ」とは世話役を務めてくれた若手の仏文科の先生の言葉である。教室のなかほどを通って教壇に私を案内しながら漏らしたその言葉に、席に座る何人もの人が身を少し小さくしたように見えた。しばらくして分かったたが、関西でバタイユの授業はめったにないため、私のような者でも、話を聞こうと大阪や神戸、奈良、そして名古屋からも、やってきてくれたのだ。いわゆるモグリの受講者だが、私は光栄で、大歓迎だった。その所属は、仏文はもちろんのこと哲学、美術史、社会学と、様々だった。そしてデザイナーの方、出版社の方、さらにフランス語の覚えはないがバタイユに関心があって来たという主婦の方。ツィッターも、メールもなかった時代である。人づてによくこれだけ情報が伝わったと思う。

この集中講義の音頭をとってくれたのは当時京大仏文科のトップにいらした廣田《ひろた》昌義《まさよし》先生だった。パスカルがご専門で「バタイユは悪趣味でどうもな」と気の引けるご様子だったが、パリで一年間同じ宿舎だった関係で、このような仕儀になった。

初日の講義が終わると、さっそく廣田先生は小料理屋へ招いてくれた。カウンターに並んで、しばしパリでの思い出話。当時、秋の深まった頃、夜の九時過ぎに先生が当方の部屋（パリ十四区にあった大学都市の教師向けの寮で、机とベッド、そして大きな浴槽とトイレの付く部屋だった）にいらして、「どうも今夜はくさくさするから、酒井、モンマルトルへ行こう」となって、ラパン・アジールの小さな会場で叩き上げのカップル街頭歌手のシャンソンに聴き入ること一時間。廣田先生も大いに感動し、最後尾の席の私は立って両手を上げて拍手。帰りには丘の下のピガール街のカフェで先生いわく「ここのオムレツはうまいんだ」となり、とろける卵からハムやマッシュルームの溢れでる豊饒を賞味した記憶へ話は弾んだのだった。

すると、何が話題だったか、廣田先生は「文学共和国はいいよな」とつぶやかれる。「同じ価値を共有しているから」とも。いったいどこにそんな共和国があるんですか、と聞くのはあまりに即物的で、話の腰を折りそうだったので、私はなんとも対応できず、そのまま先生の言葉を静かに飲み込むばかりだった。以来、この言葉《文学共和国》が私の心の底に生息し、あれこれ思いを巡らすようになった。

共和国という言葉自体、日本ではあまり馴染みがない。フランスでは一七八九年の大革命以後の民主政体を指す言葉で、今もフランスの正式名称はフランス共和国（République française）である。だが《文学共和国》はフランスの政治がらみの制度のことではないだろう。学校や施設ではなく、ましてや国が設けたアカデミー、つまり高い業績を残した作家や研究家からなる「学士院」とは異なる。民主的という意味合いは、「誰でも入れる」という広い意味だと私は理解した。国籍を問わず、資格も必要なし。実績があろうがなかろうが構わず、入りたいと思えば、誰でも入れる共同体。哲学者もこれと似たようなもので、木田元氏に言わせれば、自分は哲学者なんだと思ったときに誰でも哲学者になれる。

私がこんなイメージで《文学共和国》をとらえた理由

はどこにあるのだろうか。一つには学生時代に仏文科にいたことが影響している。

2 仏文科の魅力

私は一九七四年に東京大学文科III類に入学し、駒場で二年間教養課程を修めたのち、本郷の文学部仏文科に進んだ。当時、仏文科はたいへん人気があり、三年生、四年生、さらに留年生合わせてゆうに八十人は在籍していた。ただしこの全員が参加する授業はなく、そもそも教師は「授業に出てくるようでは、いつ勉強しているのか」とのっけから冷たかった。来訪者の一団に向かって洞窟の囲炉裏の火を指しながら「入れ、ここに神々がいる」と呼びかけたのは紀元前五世紀の哲学者ヘラクレイトスだが、こちらは逆に「ここに神々はいない」と宣告しているのである。そのせいで教室はいつも閑散とした風情。共同体はおろか、互いに話らしい話を交わしたことすらないのがこの八十人の内訳だった。「研究室」なる開かれた場（教師の個人研究室とは別の部屋）があり、机を囲んで教師がお茶をすすり助手が二人いて、副手がその机に花など飾ってくれていたのだが、その花がどれほど華麗に咲いていても「研究室」の雰囲気は冷え冷えしていた。隣の独文研究室の助手がやってきて、その冷気に驚き、震え上がったほどである。アット・ホームだとか、ファミリー的なぬくもりなどは最低であり、親密な相談ごとも、よもやま話も、軽蔑の対象だった。「こんなところでぶらぶらせず、追いかけるものに向かって早く出ていけ」。フランス特有の個人主義以前に、この暗黙のメッセージが寒さの原因だった。

神々を見出して、追いかけよ。そうだった。制限も際限もなく自由にどこまでも各人が崇高と思うものを追いかけていい。このコンセンサスが仏文科の魅力であり、廣田先生がふと漏らされた「同じ価値観の共有」だったのだと思う。ともかく寒さと引き換えに、自由な展望が開かれていたのだ。授業は限定的な内容で（短編小説を一つ読むだけとか）、教師はそれを丁寧に（一字一句地を這うように）講じていたが、学生の多様な関心事はそのまま肯定されていた。プルーストやマラルメといった仏文学の王道はむろんのこと、今では名前も知られない耽美家ヴィリエ＝ド＝リラダン、極悪作家サドなどは一目置かれ、政治思想家トックヴィル、教育学のピアジェ、作曲家サティ、そしてデカルトからベルクソン、メルロ＝ポンティ、アルチュセール、デリダまでフランスの哲学者も卒論の題材として容認されていた。とくにフランス哲学に関しては、当時の哲学科がドイツ系哲学の研究者によって占められていたせいで、仏文科に進んでテクストを自由かつ正確に読むのが慣《ならわ》しであり、優秀な学生が集まってきていたのである。その他フランスや仏文と少しでも関係している日本の書き手、たとえば太宰治や小林秀雄の卒論もあった。『人間失格』を扱った学生が「今は亭主のパンツを洗う日々です」と結論を締めくくっても、担当の老教授はさすがに難色を示したが、他の教師になだめられて通ってしまったのである。

このようななかで私は何を追い求めていたのか。授業にはしこしこ出ていたことを告白する。ひどい誤訳をして「駒場に帰《けえ》っちまえ」と叱責されたこともあったし、その教師に別なとき席の中ほどから「先生、訳が違うんじゃないんですか」と無礼にも直接的に発語したりした。シモーヌ・ヴェイユの『重力と恩寵』では、とつとつと語られる教師の解釈に次第にこの思想家の観念的構造が見えてきて感動したことを覚えている。当時の私は感覚の世界はもちろんのこと、観念の世界にも強い関心を持っていた。二年間のうちには自ら原文にチャレンジし、スタンダールの『パルムの僧院』のダイナミックでスケールの大きい恋愛の世界に魅せられ（バタイユ全集とともに私の棺桶に入れてほしい名作だ）、モーパッサンの『脂肪の塊』には人間の否定面の描写に唸《うな》らされた。

だがこうした固有名をもってしても語れない何かを私は追いかけていた。いや、取り憑かれていたと言うべきか。今回第一章で紹介した十五の文章は私を牽引してきたものを何らか生き生き伝えている。なかでも埴谷雄高の『虚空』に収められた手紙の文章は最も直截《ちょくせつ》にそれを語っている。読者はバタイユとの近さを感じるだろう。もちろんこの小説の発表された昭和二五年に埴谷はバタイユなど読んでいなかったが、両者は同じものに憑かれている。そして私も、彼らとの才能の差は別にして、虚空の魅力に十代から取り憑かれていた。虚空。そう、それは、言ってみれば、生命の新鮮な現れのことだ。実証などできはしないが確実に眼前に存している何か。目には見えないが、人の心を深く捉える何ものか。

どうしてそんな不確定なものに憑かれる人間になってしまったのか。その理由は、テレーズ・デスケールーの心理と同様に簡単には整理できない。いろいろな要素が小さな道で結ばれて、語り出せば、とめどなく広がっていきそうである。今はしかしその理由を、自然との出会い、それを可能にしてくれた父親の存在と死に絞って考えておきたい。かつて書いた文章が、自分の思うところをよく表している。

3　自然は最高の教師

二〇〇三年に私は『絵画と現代思想』を上梓した。その際、出版元の新書館の雑誌『大航海』のコラムにこんな文章を載せた。拙著を紹介せよというのが担当者からの依頼だったが、自然との出会いを振り返って、拙著の根底のモチーフの紹介とした。以下、そのほぼ全文である。

「何年か前、パリへ向かう飛行機のなかで、老年のフランス人女性と席が隣り合わせになり、しばらく話を交わしたことがあった。

高圧的で断言調、説教風で突き刺すようなしゃべり方に、またこの手のフランスの老婆か、と会話の初手から覚悟を決めてかからねばならなかったが、その独特の教養から次々繰り出される大胆な箴言《しんげん》のなかには傾聴に値する言葉があった。曰く「マルクスとキリスト教を分離して捉えてはならない。キリスト教の愛の精神はマルクスの母体なのだ」。「人間を育てるのは人間ではない。自然なのだ。自然こそ最高の教師なのだ。この点で私はルソーの近くにいる」。

このような高説をとうとうと披瀝《ひれき》したあと、彼女は、固く握りしめていた左手をおもむろに開いて、奇怪な聖母マリアの護符を私に見せてくれた。リューマチの足の痛みがひどく、夜になるとこれにすがっているのだという。

この告白、そして苦しげに開かれた彼女の手（それはグリューネヴァルトの《イーゼンハイムの祭壇画》の磔刑図にあるイエスの手の平、杭を打たれて痙攣するイエスの手の平に似ていた）に、私は、言い知れぬ孤独を覚えて、身を震わせた。

自信に満ちた彼女の教説は、この孤独の夜から、この不安な闇から立ち上がってきたものなのだ。弱さが語らせる強さ。私的な孤独の寂寥《せきりょう》を普遍的な強弁で覆って克服しようとする生存への懸命の所作。生の実情と言葉とのこの裏腹の関係を何度フランスで体験したことか。

しかし彼女の言葉には、日本人にはない衝迫力があり、私はおぼろげに意識していたことをはっきり自覚させられた。

自然こそ最高の教師。まさしく、ろくに才能もない自分が文学や芸術に関心を抱くようになったのは、自然界に接する体験を少年時に持っていたからではなかったか。わずかにしろ、自然の生命力に魅惑され育まれた感受性があったからこそ、小説や絵画に表出する生命の脈動と混乱に反応するようになったのではあるまいか。

暗くなった機内で老婆は、再び聖母マリアの護符を握りしめ、そのまま眠りへ落ちていったが、その横で私は、彼女の残した言葉に迫られて、自分の過去を脳裏に映し出していた。

私の父は信州の山奥の出身で、私は夏休みにはきまって長野の高原か湖に連れていかれた。もちろん高度成長期のサラリーマンの休暇などたかが知れている。二泊三日の家族旅行が関の山だった。

夜明け前に家を発ち、渋滞以前に東京を脱出する。だが、会社から借りてきた車は、必ず、毎年必ず、埼玉の熊谷あたりで故障した。ラジエーターが加熱したり、ブレーキがききすぎて後部のタイヤの付け根から煙が出てきたり、一九六〇年代の国産車は長旅にすぐ音《ね》を上げた。

二時間の修理のあとの関門は碓氷峠《うすいとうげ》である。ヘアピンカーブを何度も折り返して登っていかねばならない。見通しのきかないそのカーブで、勢いよく降りてくる対向車と出くわし擦れ違う恐ろしさ。それでも、信越本線の列車が苔むしたトンネルへゆっくり吸い込まれていくのを見かけたときには、山あいへ来た旅情に襲われたものだ。

峠を登りきり、軽井沢に出れば、何とか展望は開けてくる。そこから或る夏は志賀高原へ、別な夏は野尻湖へ、あるいは上高地へ、車を走らせた。

それぞれの地で接した自然の表情はどれも私を驚嘆させた。

川床の小石や藻《も》がはっきり見える清流に手を入れてみると、氷のように冷たく、長くは浸けていられない。眼前を敏捷《びんしょう》に行き来する黒影は、図鑑でのみ知っていた岩魚《いわな》だった。昼間、気温が上がるにつれ、林は熊蝉《くまぜみ》の強力な鳴き声で満たされ、こちらの鼓膜を麻痺させる。だが早朝の同じ林には、郭公《かっこう》の落ち着いた歌が響いていたのだ。あたりは静まりかえり、この鳥の短三度の音階だけが、草原を越え、遠く別な林にまで渡っていた。夜になれば、闇の上空いっぱいに星が瞬きだす。星屑とはこのような光の賑《にぎや》かさ、豊かさ、陽気さをいうのかと思い知らされたものだ。

この真夏の体験は、父親が没するときまで、つまり私が十四のときまで続いた。それは七年間、延べ日数にすればたったの二十一日にすぎない旅だったが、このときの自然影は年を経ても心の底で生き続け、暗黙の教師となって私を導いた。いや、さまよわせたと言った方がよいのかもしれない。

自ら流れ続ける自然は、それに接した人間をも漂流させる。人類が生み出した最大の天才すら、自然に流される。近刊の拙著『絵画と現代思想』の第一章でレオナルド・ダ・ヴィンチの漂流ぶりを紹介したが、彼の源にあるのも幼少時代の自然の体験なのだ。私生児レオナルドを可愛がったのは、都会生活を初手から捨てていた祖父アントニオと、同じように田園で無為を決めこんでいた叔父フランチェスコである。彼らに連れられて、レオナルドはトスカーナ地方の丘陵や川に遊んだ。ときには一人で洞窟に入り込み、恐怖と、そして「その洞窟が何かしら驚異のものを蔵していないか見極めたい欲望」に駆られもした。この欲望がのちに彼に数々の発明をもたらすのだが、しかしその人為の結果に充足せず、彼はこう自分に言い聞かせている。「このような発明を見出したそなたよ、自然のなかへ教示を受けに帰れ」。
パリの飛行場に着いたとき件《くだん》の老婆の荷運びを手伝おうとしたが、射すくめる眼で断られた。夜の自然界には安直な情を壊す力があることを付け加えておく」

（「自然は最高の教師」『大航海』二〇〇四年一月　第四九号）

私が育ったのは東京の小田急線の祖師ヶ谷大蔵。住みよい町で、商店街はにぎやか、田畑や雑木林、小川や池もあったが、その自然は長野の比ではなかった。したがって私は父を介して大自然の生命に触れたのだが、その父の死によって、私の感性は新たな次元に落とされ変化した。

4　内側からの生命の表出

私が十四歳、中学二年の時に父が急逝した。肉親の死は残された者の心に大きな変化をもたらす。私の場合、自分が根本的に周囲と切断されている意識を持つようになった。そして周囲の人も物も、それぞれ孤絶して存在しているのではないかと思うようになった。しかも、しっかりと自存して、揺るぎないように見えてきたのだ。以来私は、人や物の強い存在を敬遠し、またそれらの内側からその存立を脅かすような生命の表出を期待するようになった。虚空のように実体のない生命であったが、それとつながりたいと思うようになったのだ。そして文字と音の虚構の世界は、この表出を自在に提示しているように思え、文学と音楽にのめり込んでいった。以下はずいぶん前に書いた文章だが、現在の私の源にある心模様である。

「高校三年になる春休みのこと、私は、ひとり家にいて、ただ、漫然と昔日の家族の写真を一枚一枚眺めていた。
外は初春のうららかな日和である。桜の開花まであと数日という頃の、明るく暖かな午前だった。
私はしかし、外へ出てゆく気にはなれず、家のなかに留まって、それも、古い家具や衣服がしまわれている納戸に入り込んで、見るともなく古い写真に目を落としていたのである。

もともと晴れた日の午前の雰囲気は、季節を問わず好きだった。太陽が高く昇るにつれ、あたりに明るさ、勢い、広がりが増してきて、十五、六の頃から気に入っていた。ときには心の救いさえ覚えていたのだ。

十代半ばといえば、ひとりでいることを好みだし、さりとてひとりでいることに淋しさを感じはじめる年齢である。私の場合、さらに、文学や音楽の作品に興味を持ちはじめ、のめりこむように鑑賞しだした時期と重なる。そうなったのも、父の死が影響していたのだと思う。

父は、私が十四のときに、心臓発作で急逝した。ちょうど九月の彼岸入りの直前に起きたことだったから、葬儀に集まった親戚縁者たちは、「天命だったんだよ」、「呼ばれたんだよ」と語らって、この突然の死を納得しあおうとしていた。

斎場の待合室から、中庭の金木犀《きんもくせい》の木が見降ろせたことを私は覚えている。丸くきれいに刈り込まれた深緑の樹葉に朱色の小花が無数に咲き、そこから立ち昇る甘い香りが、折からの野分の風に乗って、窓辺でへたりこむ私のもとにも届いてきていた。流れる雲の方に目をやれば、焼き場の煙突から黒い煙がたなびくのがみとめられ、今まさに父の遺体が焼かれているのだなと感慨におそわれたものだ。そしてその煙が父の生命のように生々しく見え、しかしまた流れる秋の大気に運ばれ消えてゆくのを見ては、遠ざかってゆくものが感じられて、寂寥《せきりょう》感が身にしみてきたのである。

それからというもの、母が働きだした関係で、ひとりで家にいることが多くなり、しかもそうしてひとりでいると、周囲の物がなぜかまったく別様に見えるようになってしまった。以前は何げなく触れたり見ていた日常の物々が、私との関係を断《た》って、よそよそしく自存しているように見えだしたのである。玄関の植木鉢、食卓のコップ、洗面台の石鹸が、孤立して存在し、しかもそのことに何の疑問も抱いていないかのように感じられてきたのだ。こちらは周囲との関係を喪失して孤独を噛み締めているというのに、物たちの方は無頓着に孤立を受け容れている。あるいは、それが当然というふうに自信ありげに個物としてしっかり在り続けている。本当にそんな在り方に満足しているのか、と物たちに問いかけたい気持ちに私はよくおそわれた。周囲の人間にもそう感じることがあって、中学の授業中、近くに座る仲間に「ひとりでいて、たまらないと思ったことはないのか」とこっそり尋ねてみたことすらあった。むろん、ただ当惑した微笑みが返ってくるだけだったが。

実際にそんなふうに問いかけることが尋常な沙汰でないとは分かっていた。が、他方で不安はつのるばかりであったから、私は、ほとんど本能的に、文字と音の虚構の世界に打開策を求め、自分と同じような思いに発する表現を探しはじめた。個として在ることに耐えられず、その殻を破りたいと欲している人の表現。ジャンルを問わず私はかたっぱしから文庫本を読みあさり、深夜になるまでラジオの音楽番組に耳をすりよせた。

そのようななかで私の心を引きつけたのは、常識を切り裂くような力強くて意外な表現だった。例えば萩原朔太郎の次のような詩である。

竹

光る地面に竹が生え、
青竹が生え、
地下には竹の根が生え、
根がしだいにほそらみ、
根の先より繊毛が生え、
かすかにけぶる繊毛が生え、
かすかにふるえ。

かたき地面に竹が生え、
地上にするどく竹が生え、
まつしぐらに竹が生え、
凍れる節節りんりんと、
青空のもとに竹が生え、
竹、竹、竹が生え。

（萩原朔太郎『月に吠える』）

『月に吠える』は、一九一七年（大正六年）の二月、萩原朔太郎が三〇歳のときに出版された詩集である。その

「序」によれば、この詩集の根底にあるのは、「人は一人一人では、いつも永久に、永久に、恐ろしい孤独である」が、しかし「我々は決してぽつねんと切りはなされた宇宙の単位ではない」という確信である（引用文の強調は詩人自身による）。人も、自然界の生物も、どれとして同じではなく、別個の存在として孤立を強いられているが、それだけに留まらず、人と人、人と自然は深いところで結ばれうるというのだ。「竹」と題されたこの詩においても、真冬の竹林のなかの青竹は、それぞれ独自の姿で存在しているが、しかしどの青竹も今の自分を破っていこうとする力にみなぎっている。根の先端の繊毛から「凍れる節々」へ、さらに青空に延びる幹の頂きに至るまで、現在の自分の形に完結することを打ち消して、ただひたすらに生きて成長しようとしている。この光景は、スナップ・ショットのような単なる静止画像として捉えるならば個々に形の違う青竹の群れとなるが、その生命の動きに注目するならば、青竹は相互に連帯しあうつながりとして感じられてくる。青竹相互だけではない。宇宙のなかの「ぽつねん」とした単位であることに耐えられず「病んだ魂」をかかえる詩人とも青竹は結ばれる。そのような生物同士、生物と人とのつながりを示そうとして、詩人は、詩のなかの動詞をすべて終止形ではなく、連用形（「生え」「ふるえ」）で表現しているのだ。

このような表現に出会うと、私は一瞬我を忘れて、何か生き生きとした世界に浮遊しているような感覚にとらわれた。午前の明るい日差しを見たときもそうだったが、どこか展望が開け救われたような気がしたのだ。しかしこれも幻のようにはかなく実体に乏しい体験だった。自分の心に巣喰う不安の方が根強い感覚があって、青竹の詩はそれへのいっときの慰めにすぎなかった。

私は詩を思ふと、烈しい人間のなやみとそのよろこびとをかんずる。

詩は神秘でも象徴でも鬼でもない。詩はただ、病める魂の所有者と孤独者との寂しいなぐさめである。

（『月に吠える』「序」）

高校に進むと、私の乱読癖、音楽趣味はいっそう高じたが、しかしまた文字や音ではどうにも慰められない精神状態の方も強くつのるようになっていった。書物もラジオも受けつけない暗く停滞した気分に支配される日が多くなっていったのだ。理由は定かではない。はっきりした原因があったわけではない。すくなくとも、外部にではなく、私の内部に要因があったのは確かだと思う。心の中に黒い泉があって、そこから黒々とした液状の力が分泌してきて、周囲の人や物と交わる気をなくさせてしまうのだ。心の奥底からいつしか湧きあがり、心のひだを黒く塗りつぶして、そのまますわり続ける不可解で執拗な精神の液体。それを当時の私は〝コールタールのような思い〟と命名していたが、その黒い液汁が、「竹、竹、竹が生え」の真冬の青竹の生命力と同根であることを実感するのにはときを要した。「地面の底に顔があらわれ、さみしい病人の顔があらわれ」で始まる詩(「地面の底の病気の顔」)が青竹の詩の前に置かれていることの意義が私にはつかめなかった。

ともかく、初春のうららかな午前に自宅のかび臭い納戸に入り込んでいたのも、この黒く粘つく気分に支配されていたからだった。ブリキ製の煎餅箱に雑然としまわれていた写真の群れは、アルバムに収める価値がないとみなされたのか、アルバムに貼られる機会に恵まれなかっただけなのか、いずれにせよ親たちの心に引っかかる何かがあって捨て去られず放置されていた写真だった。大小様々なサイズで、ほとんどが白黒、セピア色に変色した映像もあった。いずれも私の記憶にあるかないかの遠い昔の家族や親戚の写真であったが、しばらく見ていればそれが誰であるかは認識できた。

しかし、そうして一枚また一枚と手に取って眺めているうちに、どうにも理解できない、そして何とも不吉な感じのする写真に出会った。ピントは合っている。変色もしていない。田舎の庭先らしいところに男が一人立っていて、その左右に目をぎょろつかせた子供が直立不動の姿でいる。この中央の男は、よれよれの浴衣を着ていて、直前まで寝床にいたようなのだ。年齢は歳をとっているようであり、若いようでもある。浴衣の下の肉体はやせ細っていて、それに較べると頭は不具合なほど鉢が大きい。病人なのだろう。表情は力なく苦しげに微笑を浮かべて凝固している。おそらく撮影者は、当時たいへん貴重だった写真機を片田舎にまでせっかく持ってきたのだからと言って、その男を病床から出させ、庭先に立たせたのにちがいない。男の広い額、そして困惑しきった微笑の細められた目を見ているうちに、私は、その面差しにもしやと思い、ついには確信に至って、身を硬くし、寒気を覚え、震えた。それは、写真を手に取る私とちょうど同じ年齢の頃の、つまり十七歳の頃の、父親の姿だった」

（「夢はめぐりて——信州の山々、南海の島々」『風の旅人』二〇〇六年十二月　第二三号）

5　信州の自然と父

肉親が病に苦しんでいるとき、その姿を見るのはなんとも辛い。それが写真に写されていると、なおのこと衝撃力は増す。だがそこからも、虚空が立ち上がっている。神々が発現しているのだ。

父親が若いときに腎臓を病んで床に伏せていたことは子供の頃に何度も本人から聞かされていた。上半身に幾筋も残る縞のような裂け目を見せながら、これは腎臓病で皮膚がむくんだ跡なのだと言っていた。父の十代後半は、昭和の初期にあたり、日本が経済不況に喘《あえ》いでいた時代である。農村はその影響を深刻に受けていた。父が生い育った信州北部の寒村は、ただでさえ栄養の補給に難儀する僻地《へきち》である。肉などなく、魚も野菜も塩漬けばかり。父は、分量も栄養も粗末な食生活で体を壊してしまったのだろう。自然は厳しかったのだ。父の両親も若死にし、近くの犀川《さいがわ》は激流で、子供がよく溺れた。

病から回復した父は、一念発起し東京で職を求めだす。しかし、病歴がもとで何度も断られた。やがて太平洋戦争が始まる。兵士になれば食料と給料が曲がりなりにも支給されるが、徴兵検査で落とされるのは歴然としていた。親戚も友人も応召していくなかで、東京で無為のままでいるのは気が引ける。内地で蔑まれるよりは外地で花と散った方がいい。二八歳の父の選択だった。父は海軍の南方派遣幹部要員に志願した。だが案の定、身体検査で失格になり、それでも軍医に願いを聞き入れてもらい、さっそく誰も行きたがらない南海の島へ派遣された。その船はしかし途上で米軍の潜水艦により撃沈され、父は南海の洋上に投げ出される。だが犀川の激流で覚えた泳ぎが幸いし、五日間の漂流にも耐え、味方の船で目指す南海のトラック島へ到達したのである。とはいえ米軍の侵攻が迫るなか、島での生活は補給が絶え、漁にも行けなくなり、空爆にもあい、苦しくなっていった。そうした苦労話を何度私は父から聞かされたことか。

不思議なのは、山も海も島も、辛い経験を強いたのに、父はその話を好んでしたことだ。

信州の自然は若い父を一年間病床に伏させ、忘れるなと言わんばかりの痕跡を幾筋も肉体に残したのだが、父は故郷の自然を懐かしみ愛し、家族を毎夏連れて行った。この矛盾はどう理解したらいいのだろうか。

父もまた虚空に取り憑かれていたのか。

6　メディアの暴力

地面の底に「さみしい病人の顔」があらわれ、「竹、竹、竹が生え」だすように、生命の表情は、不吉なものも吉なるものも、重なりながらつながっているのだろう。地面の上の虚空には多様な神々が現れ出ているのだ。

《文学共和国》はその多様性をどこまでも肯定する。文字媒体にのせて、病人の顔から勢いのある竹の幹や葉まで溢れ出る何かを表現し、読者に届ける。そこにこの共和国の崇高さがある。そしてこの崇高さゆえに私は、本書で何度か漏らしたように、この共和国に入り難いと思ってしまうのだ。誰でも入れるのに、高さが、隔たりが感じられてしまうのである。モーツァルトを前にしたサリエリ、ニーチェを見上げるブルクハルトと言ったら語弊があるかもしれないが、表現者たちの偉業が彼岸に見え、お前はここなんだと此岸を指定されているような、そんな気がしてくるのである。

虚空の生をバタイユにならって、「暴力」と呼んでおこう。病人の顔の底にも、竹の勢いの内にも、暴力が潜んでいる。そして文字媒体の底にも暴力がある。今私はそう考えるようになっている。文字媒体の恐ろしさをメディア（媒体）それ自体の恐ろしさとして捉え直してみたいのだ。メディアが伝える言説の内容、被写体の姿、音楽ならば旋律やリズムにも暴力は様々に現れ出ている。しかしそれ以前に、言葉、イメージ、音のなかにすでに暴力が生息している。伝達されるコンテンツの持つ暴力と伝達する媒体が内在させる暴力の二つが合わさったとき、そこからは強力なインパクトが生じる。十七歳の私が見た写真上の同じ年頃の父親の苦しげな形相がそうであるし、萩原朔太郎の詩にある青竹の地面に浮かぶ病的な顔の表現がこれに相当する。

　メディアとは伝達の道具であり、ふだん我々はそこに暴力が内在するとは感じていない。適切に使用される倫理観を暗黙のうちに共有している。しかしハンマーにしろ、ボールペンにしろ、道具の役割を外されると、それ自体の存在感が表出しだす。暴力とは言ってもいつも激しいとは限らない。不合理なささやかな魅力となって現れることもある。子供の目はそのことにたいへん敏感だ。大人が使っていた消しゴムで、もう役に立たないほど小さくなり、机の隅に放置された破片でも、子供はいつのまにかこれを大切に自分の小箱に入れてしまっておく。この子供の目を持って大人の世界に衝撃を与えた芸術家こそマルセル・デュシャンにほかならない。彼はトイレで男性用便器として役割を果たす道具をそのまま展示会場に持ち込もうとした。そうしてこの便器自体が持つ特異な存在感を、その暴力を露呈させようとしたのだ。言わずと知れた彼の作品《泉》である。内在させる力を噴出させるという意味で《泉》は適切な命名だったと思う。だがこの展示は叶《かな》わなかった。展示を司《つかさど》った多くの関係者は道具としての便器の役割を脳裏に既成概念として棲まわせていたから、この媒体それ自体の放つ存在感を汚くて不潔なもの、したがって展示会場に相応《ふさわ》しくないものと判断したのである。デュシャンの狙いはこの大人の先入観とこの道具自体が放つ存在感を大人の心のなかで葛藤させながら、後者を意識させることにあったのだろう。結局、メディアに対する倫理観、つまり媒体の持つ魅力を際立たせないという道徳が勝《まさ》って展示は見送られてしまった。

　文字媒体では、詩の言葉が最も道具的な役割から解放されている。第一章で取り上げた立原道造の詩「のちのおもひに」の冒頭の言葉「夢」は、意味伝達の社会的役割をまっとうしていない。「夢は帰っていった」などと人につぶやいたなら、何を言っているのか、と正気を疑われてしまう。もちろんこの詩は狂気で書かれているのではなく、暗示によって作者の意図が伝達されている。しかしその伝達は日常の言語使用による伝達と違って、たいへん曖昧で、雰囲気的だ。雲のように定めなく、そこはかとない寂しさが漂っている。虚空が立ちのぼっているのだ。

第一章の十五の文章はほとんどが散文だが、喚起力に富む。言葉自体が魅力を発している。翻訳であっても(冒頭の私の訳の拙さは問わずとして)、私の心のなかに何年も生き続けてきた。新聞やネット上の言葉は、意味を理解したらすぐに忘れていくのに、これらの文章は、記憶に残っていて、また読み返してみたいという思いにさせる。語られる内容、つまり描き出された情景や人物が存在感を放ち、同時に言語が独特の表情を漂わせている。マルタ・モラッツォーニの訳文とフランソワ・モーリャックの訳文は趣を異にし、それぞれ独特の雰囲気で私の感性を刺激した。他方で違う新聞の記事を読み比べてみても、文体においてその違いはほとんど感じられないし、そもそも新聞に文体など求められていない。結局新聞では事実と主張の伝達手段に文字媒体が閉じ込められている。

今どき、文体だとか文学的文章などと言い出すのは時代錯誤なのかもしれないが、その本家本元、谷崎潤一郎の『文章読本』はいまだに読み継がれている。東大仏文科は今や数人しか進学せず衰運の一途にあると聞く。だが、文学への関心は依然高い。《文学共和国》という名称が堅苦しいのならば、ブランショの《文学空間》でもいいし、バタイユの語った《形なき共同体》でも《共同体を持たない人の共同体》でもいい。虚空を、神々の顕現を、諾《うべな》う共同体があってほしいと私は思っている。制度とか組織など関係なく、誰でも入れる形なき空間。文字媒体に道具以上の暴力、魅力、生命感を覚える人の、現れては消える不確かな広がり。

ここに日本の伝統的な美意識を想起する人もいるかも

しれない。障子《しょうじ》や屏風《びょうぶ》という住居の道具に壮大な絵を描いたり、刀剣を単なる武器ではなく芸術品に仕上げたり、食事で使う陶器や箸《はし》に美しい装飾を施したり、我々は道具を道具に閉じ込めておくことを拒んできた。十九世紀後半、開国とともに、西欧人が注目した日本の美的意識、身近なものをすぐに画題とする意識、である。その根元には、自然のなかに神々の現れを見出すアニミズムがある。そしてこの自然崇拝を住まいなど身近な生活環境に持ち込む宗教観がある。今日でも消しゴムにキャラクターを印刷したり、スマホに愉快なシールを貼ったりするのもその名残だろう。

その美意識で生活を彩《いろど》り楽しむことはいいのだが、道具に潜む暴力を自覚しておきたい。便利に道具を使うことに気を取られ、暴力の表出に意識が向かわないのが日々の生活である。しかし毎日使う文字媒体ですら暴力をはらみ、他者の心に衝撃を加え、時に崇高さを感じさせているのだ。いや、文字媒体、言葉こそが強い暴力で他者の心を壊しも育てもすると言っておく。

近づき難さ、隔たりは崇高感の特徴である。自分にはとてもこのような表現はできない、このような人物はかけ離れている、こんな風景には一生出会うことはないだろう、そう思ったとき、《文学共和国》は眼前に立ち現れている。

《文学共和国》への入国を他人から強要されるいわれはないし、際立たせて実体化すると滅んでしまうような共同体である。また、この共同体の実体化を集団的に、過度に求める心理には、危うさもはらむ。それでも、神々をどこまでも好きなだけ追い求めて行ってかまわないとする時と場所が、人生には必要なのである。とりわけ感性が敏感で、心のキャパシティの広い若い頃には。

Chapter Three

第三章　愛の国へ

1　文学と愛

「文学共和国」から「愛の国」へ話を進める。

愛が文学の主要なテーマであることに誰も異存はないだろう。文学の基底に愛の世界がある。第一章で紹介した十五のテクストもその多くが愛を題材にしている。

戦争を逃れて雨降る夜の湖に小舟を漕ぎ出し国境を越えていく男女の姿はダイナミックな愛を表して感動的だし（『武器よさらば』）、枕元に落ちた赤い椿の大輪の色と音によってかつて心を通わせた女性の、忘れずにいて欲しい、目覚めて欲しい、という今の願いを暗示する漱石の詩情も胸に染みる（『それから』）。代助と三千代、彼らは愛のために当時の社会の掟に背いて、たいへんな決意をする。スペイン皇帝に仕える忠実な従僕と森の中の浮浪者のほのかな恋情の話は皇帝の年代記が焼却されるに至って、人間にとり、そして歴史にとって、何が大切かを教える（「最後の任務」）。母親への思慕を抱き続ける作中人物の平安貴族に動かされたかのごとく作者谷崎は老年のその母を満開の夕桜の中で妖艶に登場させた（『少将滋幹の母』）。作中人物への愛の向こうに谷崎自身の母への愛がほの見える。

愛は至るところへ向かう。若い詩人、立原道造は過去の旅路を愛した。旅の出会いと過ぎ去りゆく時の流れ。そこから美しいイメージを紡いできたのだ。しかし病魔は克服しがたく、その愛も詩も叶わなくなる。夭折《ようせつ》のちの孤独な旅路を夜空に描いて、立原は、愛を失う悲しさを切々と謳《うた》った（「のちのおもひに」）。

建物への愛ということでは、名刹《めいさつ》を焼くほどに恋した寺男もいるし（『金閣寺』）、中世のカテドラルに寄せる心情を本場のカフェ・オ・レの風味にのせて濃厚に綴る研究者もいる（『死者のいる中世』）。

夫の毒殺を図ったテレーズの夜の列車での回想（『テレーズ・デスケールー』）は、夕暮れの縁側で交わされる夫婦の乾いた会話（「かわうそ」）とともに愛の行方《ゆくえ》を描きだし、『性に眼覚める頃』の末路を例示する。それぞれに、愛の行き先が自分へと帰ってきてしまう悲しげな光景である。だからこそ埴谷の短編なのだ（『虚空』）。一見して愛の話と掛け離れているが、私に言わせれば、ビルマのシャン地方の倒木のように愛もまた自ら倒れるほどに虚空に憑かれるということなのである。実体としては何もないものに心を奪われて身を滅ぼしてしまうということだ。これとは反対に、心を惹くものに出会えず身を滅ぼしていくのがニヒリズムである。雨の夜空に紙幣を次から次に撒き散らすスタヴローギンの虚無（『悪霊』）。何もない虚無に染まったこの精神の冷たさは、心を惹きつける虚空を愛する気持ちと対をなす。

本書の序章で私は、目には見えずとも心を動かすものがある、と語った。物品のように確固と存在しているわけではないが、確実に存在して私たちの心を震わせ、支配し、動かすものがある。それは、命をかけて信じるに値する。ヘミングウェイも漱石も、小説を通してそう語りたかったのではあるまいか。愛にもいろいろ程度はあろうが、愛するとは、そのような実体なきものに心の底から動かされてしまうことだ。文学、そして文学部は、心の底から動かされてしまった人間が、そのことを研究し世に発信できる貴重な場だと思う。だから私は、大学の外にも広がっていくことを大切にしてきた。文学部所属のいち教師として、学内の授業だけでなく公開シンポジウムを企画したり、社会人教育の場に出講したり、専門書だけでなく可能な限り一般書を書こうと心がけてきたのも、そのためである。

その私の心がけはさておき、心の底から動かされてしまう愛の別の面も、真摯に考えねばならない。

人間は、人間として生まれて以来、何かを愛する気持ちに棲みつかれてきた。そう言えば聞こえはいいが、しばしば、その反対の気持ちとともに生きてきた。

私たちの心のなかには、代助とスタヴローギンの二人が同居している。三千代と「かわうそ」の厚子がともに生きている。立原道造のような「夢見る人」と夢を失った自分を冷静に見つめるテレーズが混然と生息している。いや、ひょっとしたら、愛することのなかにニヒルな気持ちがすでに芽生えているのではなかろうか。愛すれば愛するほど、その反対の虚無的な感情も助長され、ときには愛することを上回ってしまうのではあるまいか。

命をかけて信じるものがある。私は、パリ留学時代、夜ごとジョギングで宿舎周辺の木立のなかを走り回りながら虚空に向かってそう発語していた。

2　バタイユと研究のはざまで

命をかけて。本当だろうか。本当に当時の私は「信じるもの」に命をかけていただろうか。信じるものとは、人が人を愛する気持ちや、学問の探求、これが自分の青春だと思っていた虚空への愛のことである。後で紹介するプルーストの言葉「他者のことしか考えていなかったエゴイスト」をもじって言えば、当時の私は、虚空に憑かれた利己主義者《エゴイスト》だったのかもしれない。

恋愛は振り振られと言ってしまえばそれまでだが、日本においてもフランスにおいても、好きになった人に手ひどくコケにされ、また逆に別の人の心を深く傷つけもした。だが、そうして残ったのは結局、自分だけだった。研究のため、職を得るため、小心翼々とバタイユ論の制作に向かっていたのが青春時代の私だった。フランス語を習いたてのころ教師がラシーヌの一句として板書した言葉「お前はお前の青春をどうしてしまったのか」(Qu'as-tu fait de ta jeunesse?) が今も心にこたえる。

当のバタイユはこうはっきりと言い切り、その言葉に私は二十代から取り憑かれていた。「人間は、みずから自分を断罪するのでないかぎり、自分を徹底的に愛することはできない」（バタイユ『文学と悪』「ボードレール」山本功訳）。自分をとことん引き裂いて虚空に接したとき、はじめて人は自分の深奥へ愛を遂げられるというのである。このバタイユの発言に照らすと、私の当時の自己愛はなんと不徹底だったかと思うのである。

研究とは何なのだろう。客観的に対象の特質を論述する科学性が、人文系の研究でも第一の要件になっている。

人文科学というではないか。ただフーコーに言わせれば、そんな発想は十九世紀半ばに西欧で加速した主知主義の産物にすぎず、「知への意志」の悪弊を生み出したとなる。知る側の優位が確立され、その権力欲と自己愛のもとに知られる側がいいように対象化されてしまったというのである。序章の冒頭で紹介した大村房三さんの言葉(「先生と呼ばれる人間が戦後の日本を悪くした」)と同じことをフーコーは言おうとしているのかもしれない。

しかし私はこのフーコーの批判意識とはまったく別に、対象に取り憑かれたところから研究を出発させた自分の姿勢の不徹底が私の青春であり、今もそのままだと思うのである。左にバタイユの迫力ある実存の証言、右に研究者としての客観的姿勢への要請を見ながら、その間をどっちつかずのまま、ふらふらと進んできたのが自分だと思うのだ。左から吹き上げてくるバタイユの言葉に感動し、しかしそのなかに踏み入れず臆病にも震える自分がいる。また右からの学問の要請にはその必要性を認めつつも、その要請に無批判に従ったならば自分の出発点、自分の今の感性への裏切りになりはしまいかと強迫観念に駆られる自分がいる。

「バタイユで博士論文を書くことには根本的な困難が伴うのではあるまいか」。パリ大学における博論の口頭諮問の席で副査のベルナール・シシェール氏は開口一番、私にそう問うてきた。学問の探求とテクストからの感動は別次元だと私は応答したが、今もってそれですっきり割り切れているわけではない。ただ、私の博論を一字一句丁寧に読み込んで、微に入り細を穿《うが》って一時間半余りとうとうと質疑してきたシシェール氏の学者としての徹底した姿勢に知への厳しさを見た思いがした。そこには何かあると思ったものだ。

3　虚空への愛

モーツァルトは金と地位が欲しくてたまらなかった。もしもそれが十分得られていたならば、あれほどあくせく多くの曲を作らなかったかもしれない。音楽はただの生活の手段と決め込んでいたのだろう。しかしどんなに生活が満たされても、ピアノに向かって作曲を始めれば、彼はおのずと崇高な何かに取り憑かれ、それを楽譜に表記し続けたはずだ。

虚空に浮かぶ崇高な何か。それは、ときに人間の条件を無視して人間に入りこんでくる。職や研究、金銭欲や名誉欲を無視し光のように鋭く人の心に入ってくる。そうして人間を矛盾で苦しめることもあるだろう。この崇高なものの顛末《てんまつ》を、以下見ていく。

愛することに憑かれてきたのが人類、その逆の虚無をめざしてきたのもまた人類だった。

旧石器時代の後期、素朴な打製石器から精巧な石刃を作り出し狩猟の効率化をはかりだしたときから、人類はニヒルな精神に冒されるようになった。道具に憑かれると、人は、道具を差し向ける対象を愛さなくなる。動物であれ植物であれ、そして人間であれ、その対象を生きた他者と見なさなくなる。

石刃の槍をトナカイに投擲《とうてき》しはじめたとき、人は、トナカイを、生命なき物体とみなすようになった。動きはしても、皮から骨まで自分たちの生活に役立つ物体と思うようになった。だからこそ、ラスコーの壁画は描かれたのではあるまいか。道具によって欠落した精神を心底反省して、あの壮大な洞窟壁画は生みだされたのだろう。ラスコーの絵師たちは、動物の生命が発する魅惑を、虚空のごとき目には見えないその生気を、愛を込めて洞穴の石壁に再現しだした。それも、道具を使って、である。道具を新たな地平へ開かせたと言おうか。暗い洞窟の壁面から色彩豊かに浮かび上がる動物たちは、屈託なく躍動して、生きた虚空を感得させる。一万七千年前、芸術は、虚空への愛の表現として、狩猟道具のニヒリズムと背中合わせで生まれたのだ。バタイユが『ラスコーあるいは芸術の誕生』(一九五五)で語りたかったのはおよそそのようなことだったと思う。今日、スーパーの陳列棚にはみごとに加工されてパッケージ化された豚肉や鶏肉の断片が整然と並べられている。その前でもう誰も動物に対するラスコーの人々のような反省をいだきはしない。われわれは、そうして、自分たちの生き方への大切な批判意識を持ちにくくなってしまった。

石の刃物以来、人類は虚無をもたらす道具を驚くほどに発展させた。他方で、愛は驚くほど進歩していない。

誰かを好きになる。何かを愛する。その気持ちに、旧石器時代以降、根本的な変化は見られない。憎悪、嫉妬、恐怖もそうである。人間の生き生きした感情に進歩はない。その表現の仕方は目覚ましく多様化したが、根本の心情は一貫したままだ。そこから自己批判への接続ルートを人類は遮断してしまった。動物への友愛から、生殺与奪の権利を勝手気ままに行使する自分たちの生き方に至る批判意識のルートを、人類、とりわけ近代人は、消滅させてしまった。

戦争はニヒルな道具を進歩させて今日に至っている。人を大量に殺したり、建物を崩壊させるのが戦争なのだから、それも当然かもしれない。とりわけ近代戦争は殺傷道具を新たな次元へ飛躍させた。第一次世界大戦は、戦闘機、戦車、毒ガス、高射砲など、虚無を生みだす新規の道具を次々に登場させ、多くの若者を死に追いやった。フランスはまさに国を挙げてドイツと戦い、政治家やマスコミがドイツを滅ぼせと声高に「徹底主義」を煽りたてていた。

しかしこの「大戦争」のさなか、警戒警報が鳴り響く首都パリで、こともあろうに大の大人が愛の談議に血道を上げていたのである。一人の文豪と若手の作家が夜を徹して、愛は、愛し合う者の心の一致にあるのか否かと、真剣に語り合っていたのだ。マルセル・プルースト（一八七一―一九二二）とエマニュエル・ベルル（一八九二―一九七六）。この二人の恋愛談義を、バタイユとともに、さらにフーコーの議論も交えて考えていこう。

4　愛が広いフランス

まずは「愛の国」の本場フランスの事情を簡単に紹介しておく。

「愛」あるいは「愛する」という言葉の広さから始めよう。フランス語の「愛《アムール》」(amour) は好意から性愛までを含意する。英語では like と love の間に差異を設けるが、フランス語の動詞「愛する《エメ》」(aimer) は「好意を持つ」から肉体的な関係において「愛する」まで心情の幅を含みこんでいる。他方でまた、精神的な愛、つまり神から人間への愛、そして人間から神への愛といったキリスト教の愛の考え方も、肉欲を満たす世俗の愛の行為も、同じ言葉「愛《アムール》」と「愛する《エメ》」で表現されている。

フランスは今でもなおキリスト教国であり、キリスト教道徳に則《のっと》って、人間の愛に識別を設けている。人間が神に寄せる精神的で高潔な愛を、人間相互の性愛から峻別する見方が少なからず定着している。正規の男女の結婚以外の性愛を悪徳とする、少なくとも手本にすべきではないとするキリスト教の道徳観が暗黙のうちにまだ根強く存続している国だ。だがキリスト教のなかでもカトリック信徒が主流を占めるこの国では、もともと何事にも鷹揚なところがあって、この二つの愛を寛大に両立させてもいる。エディット・ピアフ(一九一五—六三)の例を見てみよう。振幅のあるこの歌い手の生き方、つまり非道徳な愛に生きながら、神を称《たた》える両極のなかに「愛の国」フランスの広さが見て取れる。

第一次世界大戦さなかの一九一五年に貧しい芸人の子としてパリに生まれた彼女は、やがて愛情希薄な母方の祖母に預けられ、さらにまた同じように幼児などみじんも愛さない父方の祖母のもとにたらいまわしにされた。この父方の祖母はノルマンディー地方で娼館を営んでいて、そこで幼いピアフは非道徳な大人の性愛の世界に日々いやというほど直面させられる。しかも彼女自身の置かれた環境は不衛生そのもの、栄養失調をも強いられた。人道的な愛の言葉などただの体《てい》のいい人間の上辺の飾り事にしか聞こえない、そんな環境で育ったのだ。そのせいで彼女は幼くして視力まで喪失したが、優しき娼婦たちに連れられて地元の聖女の墓に詣でて、言い伝えに従い墓地の土を眼帯に入れて巻いたところ、みごと失明から快癒。以後、彼女は敬虔なキリスト教徒になる。

異教起源の聖人信仰をキリスト教へつなぐカトリックの在り方、つまり各地の聖人それぞれの遺骨や遺物から得られる実生活上のご利益《りやく》を天上の神からの愛の現れとみなしてキリスト教へつなげる中世カトリック以来の信仰の在り方へ、彼女もまた乗ったのだ。

九歳にしてピアフは、母親譲りの歌手の才能を母親以上の力強い声で発揮し、周囲を瞠目させた。そうして十代そうそうにパリに出て歌い手として生きていくのだが、駆け出しは苦難の連続だった。狭い路地裏で建物を見上げては歌い、窓からの投げ銭で糊口をしのいでいたのである。十代半ばで結婚し、女児を出産したが、二歳三カ月にしてその子は病死。葬儀代をかせぐために売春までしたと後年彼女自身告白している。だがその才能は徐々に見出されていき、下町のキャバレーの前座の歌い手から大物歌手の出演するミュージック・ホール（演芸場）の人気歌手へ身を上げていく。第二次世界大戦中、北部フランスはナチス・ドイツの占領下に置かれ、パリは軍事支配の拠点にされた。今やパリ屈指の歌い手になっていたピアフは、そのナチスの秘密警察《ゲシュタポ》本部から目と鼻の先の高級娼館の四階フロアすべてを住まいとし、キャビアやシャンペンなど闇市の恩恵を受けながら、フランス人の対独協力者やドイツ人将校とも交際を持つようになる。一九四三年の夏と四四年の二月にはベルリンに招かれて歌を披露している。まさに祖国を裏切るような生活であり、四四年八月のパリ解放以後、急速に激化し拡大した対独協力者粛清の動きの格好の対象になるが、世話役で対独抵抗運動《レジスタンス》の活動家の作り上げた美談（ベルリン滞在時にフランス人捕虜と撮影した写真が偽造パスポートに使用され、彼らを救うのに役立ったという筋立て）によって無罪放免になる。

もっとも、この世の底辺から愛を見て生きていた彼女からすれば、そして虚空をめざす歌の本質にかけてきた彼女からすれば、対独協力も対独抵抗運動も、厳格な裁きの対象になるような識別ではなかったのかもしれない。国をあげての売国奴制裁を人間の上辺《うわべ》の悲しい性《さが》としか見ていなかったのではなかろうか。

ピアフは深いところから人の世を見ていたと思う。どれほど高邁《こうまい》な政治信念を叫んでいようと、どれほど立派な地位についていようと、どれほど学識を高めようと、人は簡単に性愛に転ぶ。最底辺から愛を見てきた彼女、生きるか死ぬかの生活のどん底から愛を生き抜き、その深々とした心情を歌声に込めてきた彼女においては、性愛による人間のあっけない非道徳への転落など、百も承知の事柄、十分に織り込み済みの経験知だったろう。

第二次世界大戦後の彼女は、舞台での活動はもちろんのこと、レコード、ラジオ、映画、そしてテレビといったメディアの発展に乗って、愛の信念を多くの人に伝えていった。「愛の賛歌」(Hymne à l'amour) はそうした彼女の大ヒット曲だ。一九五〇年頃のスタジオ録画映像が残っているが、この頃彼女は、妻子あるプロ・ボクサーの恋人を飛行機事故で亡くしたばかりだった。アメリカから船で帰国する予定だった彼は、ピアフから早くパリに来てくれとせがまれたため、満席の飛行機に特別に席を譲ってもらって搭乗したのだが、その飛行機がポルトガルの沖合で墜落したのである。罪の意識を二重、三重に持ちながらも、映像のなかの彼女は虚空を見つめ、毅然と歌っている。なおかつ情念をどんどん高めていく。身長一四七センチの体が大きく見えるほどだ。作詞は彼女自身で、そのはじめからしてスケールが大きい。「わたくしたちの上の青い空が壊れようと、この大地が崩れようと、私はかまわない。あなたが私を愛するのならば」。さらにこう続ける。「あなたが望むならば、私は祖国を裏切るだろうし、友達をも裏切るだろう」と。締めくくりは神への信頼である。「神は愛しあう者を結ぶ」。

ピアフは、一九六三年一〇月、四七歳で死去したが、パリ大司教は生前の彼女の「公的な罪」ゆえにカトリックとしての葬儀を拒否した。しかし多くの国民が彼女の死を悼み、パリのペール・ラ・シェーズ墓地までの沿道には哀悼の意を表す人々がつめかけ、当の墓地には少なくとも四万人が集まったという。ショパンもプルーストも眠る「愛の国」の園へ彼女もまた愛に包まれて埋葬されたのだ。

この「公的な罪」に対するフランス国民の寛大さはピアフだけではない。パリ大司教の地位にある人へも及ぶ。フランスのバタイユ研究の第一人者がその研究書の末尾に記した、こんな味のある言葉を私は今でも覚えている。大司教を責めているのではない。穿《うが》った見方をすれば、むしろその愛欲の顛末《てんまつ》を研究者自身、研究対象の思想家との間で共有しているかのような文言だ。

「愛人をつれて自分の庭を散策していたパリ大司教が、歩を進めるに応じて、熊手を持った三人の従者にその足跡を消させていたのと同じように、人は、形になったばかりの文章を暗黙のうちに消し去らねばいけない」

(ドゥニ・オリエ『コンコルド広場奪取』(邦訳では『ジョルジュ・バタイユ　反建築』)、拙訳)

この大司教がピアフのカトリック葬儀を否定した当人であったかは分からない。また、パリ大司教がベッドの上で愛人と横たわったまま目を丸くしてこちらを見る盗撮の瞬間の写真が報じられ話題になりもしたが、その大司教がこれらの大司教と同じ人物であったかも定かではない。大切なのは、「愛の国」フランスではこのように高位の人間の愛の罪が広く知れ渡っても、まずまず大目に見られ、たいした変化も生じないということだ。

大統領にしたところで愛の罪には事欠かない。会議のあとエリゼ宮(大統領府)の一室でチョッキ一枚以外すべて脱ぎ棄てていざ愛人と行為に入るや否や腹上死を遂げた者(フェリックス・フォール)、無益な愛の朝帰りを繰り返したフランス近代化のパイオニア(ヴァレリー・ディスカール・デスタン)、在職中二人の奥方を愛しそれぞれと家庭生活と営み、葬儀ではその二人の女性との間の子も参列した社会正義の星(フランソワ・ミッテラン)等々。「愛の国」の懲《こ》りない面々、その代表格といったところだ。

ともかく彼らがこのような愛に勤《いそ》しんでいても、人気を落とした形跡はないのである。多くの国民が、愛することそれ自体を人間にとって大切な、そして自由な、あるいは避けがたい、情動とみなしているからだろう。公職を全うしているならば、一個人の下《しも》の話など問題にすべきではないという公私の区別をしっかり認識した国民性に拠るのかもしれない。いずれにせよ、こうした寛大な背景があるからこそ、愛の考察も自由になされるし、深まりもする。以下、フランスの作家、思想家の言葉に立ち寄りながら「愛の国」の内奥へ旅に出てみよう。

まず表現の問題から入っていきたい。表現に対する厳しい姿勢があったからこそ、愛の深み、そして広さは伝えられたのだ。愛の作家プルーストが誰よりも厳格な表現者だったことに注目しておこう。

5　百度の沸騰

マルセル・プルーストによれば、イメージの表現は、百度に沸騰しなければならない。文筆家として彼は、的をえない表現に耐えられなかったのだろう。沸騰という現象に固執したところに注目したい。

プルーストが言わんとするところを私なりに解釈すると、水が気化して熱き虚空に成り変わる現象こそ、かけがえのない表現の真理だというのだ。沸騰とは何か。やかんの注ぎ口でも鍋の蓋の蒸気口でもいい、水を沸かすときにその口先を眺めてみよう。すると、数ミリまったく透明の、目には見えない熱き空気の層が出現する。水蒸気と呼ばれる気体の存在である。そしてそこからさらに湯気と呼ばれる白い広がりが始まるが、そこはもう、目に見えるさめた水粒がまじる空間になってしまっているのだ。近代の産業革命は、十八世紀後半、水蒸気を動力に活用しピストンや歯車を動かして本格的に始まった。近代産業発展の道がここに始まったのだが、一方で芸術は、近代以前も以後も、熱き虚空にただ憑かれるばかりだった。この虚空をどれだけ純粋に表出させ他者に届けるかに、ただそれだけに、かけてきたのである。

芸術表現の価値とは、目には見えない生の熱き霊気を浮かび上がらせ、人を感動させることにある。プルーストはそう言いたかったのだろう。沸騰手前の表現は、九八度や九九度であっても、熱き液体であって熱き虚空ではない。図像も、言葉も、旋律も、沸騰以前では、ただそれだけのもの、見たとおり、字面どおり、聞こえたとおりの形象にすぎないということなのだ。

この沸騰の表現論は、駆け出しの作家ポール・モラン（一八八八―一九七六）のために雑誌『パリ評論』（一九二〇年一二月号）に発表された短文の末尾付近で語られている。この短文の冒頭では、死神《しにがみ》がプルーストの脳裏に、そして住まいにも去来すると告げられ、死期の予感が告白されている。そして最後の一文は、第一次世界大戦が勃発してすぐに志願して逝《い》った小説家シャルル・ペギー（一八七三―一九一四）への哀悼の言葉に充てられている。プルーストは自身の死に脅《おびや》かされ、ペギーの高潔さを尊重し、若きモランを引き立てる温情に満ちていたが、舌鋒鋭く表現の真理をこう語った。

「モランに対して私はただ一つだけ批判を差し向けたい。彼が、不可避なイメージとは別のイメージを時たま表現している点である。じっさい、アバウトなイメージなど、どれもみな重要ではないのだ。水は（様々な条件があろうが）百度で沸騰する。九八度や九九度では沸騰の現象は起きないのである。その程度のイメージなら、ないほうがマシなのだ。今かりにワーグナーもベートーヴェンも知らない人をピアノの前に半年つかせたとしよう。そしてその人に、偶然がもたらす音符の結合のすべてを鍵盤で奏でるままにさせておいたとしよう。そうしたところで、この人の打鍵からは、《ワルキューレ》の春のテーマも、弦楽四重奏曲第十五番のメンデルスゾーン以前の（あるいはむしろメンデルスゾーンを果てしなく超えた）楽節も、生まれはしないだろう。ペギーの存命中に、彼に向けられた批判は、一つのことを言う表現の仕方はたった一つしかないのに十もの仕方を彼が試みてしまったことにある。もっとも、彼の称賛すべき死の栄光がすべてを帳消しにしたのだが」

（マルセル・プルースト「ある友のために（文体についての覚書）」、拙訳）

プルーストは大のワーグナー党であり、ベートーヴェンの弦楽四重奏曲に至っては大戦中の一九一六年に本物の弦楽四重奏団を自宅の寝室に呼んで演奏させたほど愛好していた。敵国ドイツの音楽家であろうと、ワーグナーが反ユダヤ主義者であったとしても、プルーストは自分の国籍や民族的出自に関わらず、百度に沸騰する音楽に憑かれていた。

しかしひるがえって、彼のこの見方がすべての人に支持されるかと言えば、そうとは言えないだろう。誰もがワーグナーの《ワルキューレ》やベートーヴェンの第十五番の弦楽四重奏曲を聴いて沸騰のイメージを抱くわけではない。ラスコーの壁画を私はまさに百度の図像と受け止めるが、そう思わない人もいるはずだ。他方で、ワーグナーもベートーヴェンも知らない人を半年ピアノの前に座らせておいたならば、その打鍵から、偶然にも、沸騰する楽節が生まれるかもしれない。

プルーストがこの短文を発表した一九二〇年は、パリにトリスタン・ツァラ（一八九六―一九六三）がやってきて、ダダイスムの活動を新たに開始した年である。スイスのチューリッヒでこの不合理で挑発的な表現運動を起こした彼を、若きアンドレ・ブルトン（一八九六―一九六六）が招いたのである。時あたかも、「狂乱の年代」がパリで始まりだしていた。ジャズがパリで流行りだしたのもこの頃である。芸術表現の出発点が、即興性や偶然性へと広がりだした時代だった。ブルトンは一九二四年にシュルレアリスムを立ち上げて、表現の源泉を無意識層へ広げていく。これにより、人間の意識や理性の手を離れたところにまで芸術創造の場のあることが認知されだした。芸術創造の主体を見る視界が、理性的な人間存在からその外へ広がりだしたのである。シュルレアリスムはまさに、アウトサイダー・アートやプリミティヴ・アートへ西欧人の視野を拡大するきっかけになった。さらに今日のＡＩ芸術への第一歩だったとも言える。ともかく、天才的英知の芸術家を尊ぶ、イタリア・ルネサンス以来の西欧型芸術観が新たな展開を見せ始めたのだ。

6　真理への愛

こう語るとプルーストは一九二〇年代の新たな表現の動きのなかで後衛に甘んじていたかのようだが、そんなことはない。彼の長編小説『失われた時を求めて』（一九一三―一九二七）はまさしく「無意志的記憶」に導かれており、意識的主体を優越させる近代文明より先に進んでいる。その第三部「ゲルマントのほう」（一九二〇―二一）の第一巻の校正係をガリマール社で担当していたブルトンは、プルーストの新たな発想と詩的な表現にいたく感動していたのである。

バタイユもまた、この長編小説の続々発表される各部、各巻のとりこになっていた。そしてプルーストに加えて、一九二〇年代後半には、ダダイスム、シュルレアリスムの影響を受けて、そしてまた未開民族の宗教遺物の展示に触発されて、芸術から宗教へ「聖なるもの」に対する考えを広げていった。一九三〇年代末からのバタイユによれば、「聖なるもの」はキリスト教の神や教会堂のように常に客体として存在するのではなく、「一プラス一は二」のような普遍的な真理でもない。何かの出来事と人の心とのあいだに生じる現象なのだ。場所や時によって、人の感性によって、現れたり消えたりする百度の熱き現象である。その偶発性に照らして、バタイユは「聖なるもの」を「好運」と呼んだ。

この「好運」は文字の上にも出没する。百度に沸騰する文字表現として私が今しも心に浮かべるのは、作家エマニュエル・ベルルの筆になる若き日の彼自身とプルーストの相貌なのである。彼の自伝的作品『シルヴィア』(一九五二)の文章を読んで、沸騰するイメージだと思うのは私だけではあるまい。少なくともそれを引用したバタイユは心を深く動かされていたはずだ。バタイユの文芸評論集『文学と悪』(一九五七)の「プルースト」の章の中ほどに引用されているベルルの文章である。

場面は、夜も明けようとする時刻にベルルが文豪の住まいから心身打ちのめされて出てきたところだ。第一次世界大戦のさなか、ベルルは、パリの中心に位置するオスマン通りのプルーストのアパルトマンに何度か招かれたが、その夜はとりわけ愛の問題に話が集中し、夜明け近くまで対話が続いた。一九一七年、ベルル二五歳、対するプルーストは四六歳に達する年のこと。文豪プルーストは宿痾《しゅくあ》の喘息に苦しみ病床に伏していた。にもかかわらず、自分の愛の真理を、見解を異にするこの若者に熱心に説いたのだった。

バタイユが注目するのは、ベルルの文章から伝わるプルーストの真理への情熱である。プルーストは若き日には、社会党の勇ジャン・ジョレスの雄弁に心酔する実直な正義派だった。しかし一九〇八年から長編『失われた時を求めて』を書き出した頃の彼は虚偽に走って、大切な人(たとえば母親)をも平気で騙《だま》す人間に変貌した。しかしバタイユが見るところ、プルーストは真理への愛において一貫していた。その様をベルルはこう熱く伝えるのである。

「ある晩(戦争中のことだったが)、知能的にも体力的にもわたしの限度をはるかにこえた会話のやりとりをしたために、ふだんの訪問の時よりはるかにくたくたになってしまったわたしは、明けがたの三時頃、プルーストの家から出てきて、ひとっ子ひとりいないオスマン通りまでやってきた時、もうなんとも我慢できないような精神状態になっていた。おそらくその時のわたしは、ボワ・ル・プレートルにあったわたしの住居が崩壊した直後の時とおなじくらいに、すざまじい顔をしていたことだろう。まったく精も根もつきはててしまい、しかもそうなったことまで慚愧の思いにたえず、わたしはなにもかも、自分自身まで、すっかりいやになってしまっていた。いま会ってきたあのひとのことが頭にこびりついていたのだ。食べるものも充分に食べず、不眠に悩まされ、喘息にのどをつまらせながら、しかも、彼は、分析を必要とするような場合でも、そこから結論をみちびき出してくることがきわめて困難な場合でも、いっこういやな顔はせず、死に抵抗するのとおなじくらいの執拗さで、虚偽に対してもいっかなその闘争の手を休めようとはせず、さらにその上、わたしの想念の無気力な混乱ぶりを多少とも整理してやろうと、余分な努力さえ出しおしまなかったのである。わたしは、自分の頭の粗雑さよりも、むしろ粗雑なままで恬淡としている自分のだらしのなさに、ほとほと愛想のつきる思いがした」
（バタイユ『文学と悪』「プルースト」より、山本功訳）

この訳文に私は今までどれほど励まされたか分からない。重要なのは目に見えないものへのあくなき追究心である。これが萎《な》えると研究は立ち行かなくなる。院生時代、公私にわたってにっちもさっちもいかなくなったときに、そして留学時代に行き詰まりを覚えたときにも、私は『文学と悪』のこの文章から情熱をもらい、心を震わせていたのである。

7　愛をめぐる人間の生き方

それにしてもプルーストの「真理への愛」とはどのようなものだったのだろうか。彼がベルルに伝えたかった真理とは何だったのだろうか。ベルルとの対応から探ってみよう。

真理とはこの場合、愛をめぐる人間の生き方である。

両者の考えは異なっていた。若きベルルは男女の心の一致、調和、融合こそが真の愛のあり方だと考えていて、これを結婚というかたちで現実化させたいと願っていた。そこには、ベルル本人も認めることだが、ユダヤ人の宗教観、つまり男女の結婚とそこからの子孫の産出を重視するユダヤ教の理念がある。プルーストもユダヤ人でありベルルとは遠縁の関係にあったが、ベルルのような宗教観はつゆ引きずっていない。彼は同性愛者であって、しかも愛する者の不一致、行き違い、悲劇こそ、愛の真実だと考えていた。愛は幻想のなかで芽生え、燃え上がり、現実において興ざめに転じる。そしてこの幻滅に拍車をかけるかのごとく彼は鋭い観察力、深い洞察力を愛する者へ差し向けた。

ベルルは、六十歳になる一九五二年に青春時代の心模様を振り返って自伝『シルヴィア』を発表した。シルヴィアという女性名はおそらくロマン派の作家ジェラール・ド・ネルヴァル（一八〇八―一八五五）晩年の小説『シルヴィ』（一八五三）に発すると思われる（ちなみにプルーストもこの作品をこよなく愛していた）。ネルヴァルはこの自伝小説で、幼なじみの女性シルヴィへの思い、そして別々に生きる両者の人生行路を、パリとその北部近郊ヴァロワの美しい田園地帯の対比のなかで描き出しているのだが、ベルルの『シルヴィア』も、おおよそそのような作品なのである。シルヴィア（本名シュザンヌ・モレ）をベルルが見初めたのは一九〇五年、ベルル一三歳のときだった。それから八年後、一九一三年の夏に二人はエヴィアンで再会する。ローザンヌ湖畔の美しい避暑地であり、天然水が湧き出る町として有名なところだ。両親を失って孤独なベルルと、両親が不仲で孤独なシルヴィアは互いに心を寄せるが、熱量を高めていくのはベルルの方だった。だがシルヴィアの父はユダヤ人との交際を認めず、両者の関係は友情に近いプラトニック・ラヴの段階に留まっていた。

その後、第一次世界大戦の戦場でベルルの生きる希望となったのは、シルヴィアとの愛の結実への夢であり、プルーストとの文通だった。復員後、ベルルはさきほどの引用にあったようにパリのプルースト邸で自身とはまったく異なる愛の真理を聴かされ、ほうほうのていで帰路についたのだが、にもかかわらず彼は、それからしばらくして、ようやくに実ったシルヴィアとの婚約をプルーストに告げに行く。文豪はこれに激怒し、錯乱し、真っ青な顔になってスリッパをベルルに投げつけた。

「出ていけ」。

同性愛者でもあるプルーストにとって、伝統的な男女の結婚のかたちにただ執着することは真の愛ではない。それを戒《いまし》めてきたのに、ベルルが嬉々として婚約報告にやって来たので、自分が説く愛をわかっていないのかと腹を立てたのだろう。ベルルを祝福してやれないプルーストも狭量だが、これも人並外れた真理への愛の烈《はげ》しさゆえと考えておこう。ベルルはこうして文豪から破門に処されるわけだが、さらに不幸なことにシルヴィアとの婚約も彼女の側から一方的に破棄されてしまう。

こうしてみると、ベルルは、遠回しにプルーストの真理への愛を称《たた》えていたと思う。ベルル自身は文豪とまったく異なる恋愛観を提示しているが、それはまるで、不一致と悲劇を説く文豪の愛の考え方の真正さを際立たせるためであるかのようだ。ベルルは根本的にプルーストに惹かれているのではあるまいか。第一次世界大戦を背景にした両者のやり取りを見てみよう。

8　砲弾が炸裂する塹壕《ざんごう》で

第一次世界大戦の直前、フランスでは非戦派の平和主義者の方が数から言えば優勢だった。ベルルもその一人である。だが好戦派の愛国主義者の発言は声高で、世論を圧する傾向があった。若者のあいだでもそうだった。ベルルはこれに嫌気がさして一九一三年ドイツのフライブルク大学に留学するのだが、こちらでも反仏感情の若者の発言はひときわ高く、翌年彼は帰国する。彼はそれでドイツ人とドイツ文化を嫌うようになったわけではなく、愛着と尊敬を持ち続けていた。だがフランスにおいて国論を圧倒したのは、好戦派であり、一九一四年七月にはその勢いはもはやぬきさしならないところまできていた。平和主義の国際的主導者で社会党の大立者ジャン・ジョレスが一九一四年七月三一日にパリのカフェで熱狂的なナショナリストの大学生によって暗殺されたのは象徴的出来事だった。まさにその翌日、八月一日にフランスは総動員令をかけ、ドイツとの戦いに入る。戦いは予想をはるかに超え四年の長きにわたった。フランス北部、ベルギーとの国境付近に沿って両軍の一進一退の塹壕《ざんごう》戦が繰り広げられたのだ。ベルルも動員される。当初は士官候補生として後衛に回されたが、前線に出陣していくフランスの若者たちを前にこの立場を潔《いさぎよし》とせず、北部前線へ配属を志願した。ドイツ人への憎悪も戦闘意志も持たないまま、最前線に入っていったのである。そしてそこで彼は地獄を見る。湿った泥土に掘られた塹壕には、雨水がたまり、寒くまた不衛生だった。兵士はそのなかで朝から晩までじっと留まっていなければならない。そうして生き物を単なる無機的な物体とみなすニヒルな世界へ入っていく。這いまわるネズミに腹を立て、これを銃剣で刺し殺す。しかし彼自身もいつなんどき殺されるかわからないのだ。予期せぬときに敵弾が降ってきて、目の前で、今まで生きていた友人が、無残な死を遂げていくのである。生の連続がいとも簡単に断ち切られる光景。彼のもう一人の偉大なる縁戚、哲学者のアンリ・ベルクソン（一八五九―一九四一）の説く「生の持続」がまざまざと否定されていく光景だった。

「塹壕からにじみ出る水のなかでネズミが何匹も走りまわり、彼ベルルの胸の上をも走りすぎていく。銃剣を銃身に差し込みはしても、彼は血に飢えていたわけではない。その時まで人と物との間には豊かさが介在していたのだが、もはや貧しさに根差す真実を体験させられて、彼はこの豊かさから永久に遠ざけられた。一週間のあいだ、シャベルで土を掘って、人体の破片に突き当たらない日はなかった。死者たちはもはや死体でしかないのだ。砲弾が間近で炸裂して彼は土砂に埋まり、やっとのことで瓦礫《がれき》から抜け出たが、そのとき目にしたのは、仲間のフラジュスの、虫けらのようにバラバラになった四肢だった。ほんの二分前に彼は夢見心地に妻の写真に見入っていたのだ。他の友人たちの内臓は、有刺鉄線にひっかかってずたずたに引き裂かれ、紫の昆虫の群れのごとくになって、血を滴らせていた。こうしてエマニュエル・ベルルは、自分と生の運命を分け持つことのなかった人々の叫びを来る日も来る日も聞くことになる。

フランス国内の物書きたちの文章が前線に届いていたが、どれも彼を憤慨させた。「英雄的所業を彼らから奪うべきではない。それは彼ら共通の賞金なのだから」。政治家ポール・デシャネル、小説家アンリ・ボルドー、劇作家アンリ・ラヴダンの発言が彼の悲嘆を増大させた。ドイツは「生あるものにはりつけられた機械」なのだ、と言われても心はいっこうに穏やかにはならなかった。このベルクソンの言葉は、ベートーヴェンをベルギー国籍にしながら付け加えられていただけにベルルにはいっそう腹立たしかった」

（ベルナール・モリノ『エマニュエル・ベルル　ある平和主義者の苦難』（一九九〇）より、拙訳）

銃剣も砲弾も、生命を無化するニヒルな道具である。機械は、冷たい虚無主義に走る近代文明の象徴だ。しかしだからといって、ドイツを機械とみなし、ドイツ語圏で活躍した芸術家をもそこから引き離す敵味方の識別にベルルは同意できずにいた。機械文明の進捗という点では、たしかに当時のドイツはフランスを凌いでいたが、両者とも近代産業革命という同じ穴のムジナだったのである。それを度外視して、国家主義という外的な視点から内的生命の持続に優劣をつけ、フランスを政治的に鼓舞することは生の現実に反しているようにベルルには思われた。ベートーヴェンの音楽に感動して得られる生のつながりは国境や民族の差を超えていくというのが彼の実感だった。ベルクソンの哲学は、内部の生に対しても、外部の世界に対しても、観念的で、一人一人の実存から遠いように彼には思われた。対してプルーストは、愛の不連続を語っていても、むしろ生の真実に近いとベルルには思われた。偶然の出来事を気ままに引き起こす具体的な世界の在り方に感性を開き、なおかつ内面の世界を深く観察していると思われた。ベルルがベルクソンからプルーストへ共感を移行させた模様を少し追ってみよう。

当初ベルルはベルクソンを尊敬していた。この哲学者はベルルが物心つくころにはすでに名声を博していて、ベルルはその著作はもちろんのこと、フランス最高峰の公開講座コレージュ・ド・フランスでの講義も毎回聴講し、帰路をともにしていた。しかしベルルの心は徐々にベルクソンから離れていく。一九一〇年には両親を失って生の断絶を経験すると、「生の持続」の教説は彼の実感から遠くなってしまった。

「エマニュエル・ベルルは、一九〇九年に従弟のフランクからベルクソンを紹介され、それ以降、この哲学者の確言を尊重するようになる。彼は、ソルボンヌのベルクソン敵対者に反抗する気構えを持つベルクソン主義者だったが、彼の理論「内面の持続性」には抵抗を覚えずにはいられなかった。ベルルは、流れゆく大河のごとくに自分の生を眺めていたのではなかった。彼はむしろ仏教徒に近く、自分のことを、無数の不調和な要素の集積だと見ていた。『意識に直接与えられたものに関する試論』を彼は何度も読み返したが、救済者的な経験主義を当て込んだベルクソンの哲学にさらに進んで入っていこうとは思わなかった。むしろ彼は一八〇度ベルクソンと対立している自分を見ていく。自分は、意に反するさまざまな外部の出来事によって絶えず呼び止められていると、「それが誰だか、何だか分からないものに、どのようにしてか分からない仕方で」絶えず呼び止められていると思うようになっていったのだ。『創造的進化』の出版（一九〇七年）は最終的に彼ベルルをいらだたせるに至る。とりわけこの著作にある次の主張はそうだった。人類は「多くの障害を乗り越えることができる。おそらく死をも乗り越えることができる」、そう自らを開示している、という主張だ。十八歳で孤児になったエマニュエル・ベルルはこのような言説を受け入れられずにいた。そして彼はこう結論づける。自分が今対話しているこの人が持っている世界は、自分がすでに出て行った世界なのだ、と」

（モリノ『エマニュエル・ベルル』、拙訳）

塹壕戦で弾丸の奇襲を受け続けていたベルルは、ますますこの「意に反するさまざまな外部の出来事に」、「「それが誰だか、何だか分からないものに、どのようにしてか分からない仕方で」絶えず呼び止められていると」痛感するようになったのだ。そのなかでベルルは、生の不連続を強調するプルーストの感性に惹かれていった。不連続とはいっても文豪はけっして人間の非業の死を望んでいたわけではなかったし、近代機械文明の無機的な暴力を肯定していたわけでもない。外部の空間や事物との出会いによってそれまでの意識の流れが中断され、新たな内的世界が展開しだす。それがまた新たな環境のなかで否定され、孤絶した意識の明晰さを生み出していく。不連続とも連続とも言い切れない、内的とも外的とも区切れない曖昧な生の在り方にプルーストは自在に揺曳していたのであり、それがベルルには魅力だった。結婚という安定した生の連続性への夢を募らせればするほど、彼はプルーストを欲した。愛の結実に固執すればするほど、その執着を切り裂く文豪の感性に深い魅惑を覚えていった。

9　ベルルとプルーストの文通

塹壕戦の兵士になってまずベルルを慰めたのは、詩人で、母亡きあと代母役を務めてくれたマリー・ドュクロからの届け物だった。一足の暖かい靴下、厚手の防寒帽、そして一冊の書物。それはプルーストが翻訳したイギリスの評論家ジョン・ラスキンの講演集『胡麻と百合』（ラスキンの原書は一八六五年、プルーストの訳は一九〇六年の出版）だった。プルーストは長文の序を添えていて、そこで読書に関する自説を展開していた。ラスキンによれば、読書は、愉快な題材を持った人々との会話に匹敵するのだが、プルーストに言わせれば、読書が他者の思想との交わりでありはしても、読書を支えているのは孤独のなかでこそ発揮される知力であり、それは会話では雲散霧消してしまう貴重な働きなのである。ベルルはこの文章に大いに感動してデュクロに返事を書き、デュクロはその手紙をプルーストに送った。文豪は縁戚というよりも戦場の若者からの文面に心を動かされ、ベルルと以後、まず文通というかたちで交際を始めるのである。ベルルが友情について長々と書くと、プルーストは独特の返事をよこす。引き裂かれる感情をもって友情とする持論を返してよこすのだ。生きるか死ぬかの塹壕戦のなかで唯一ベルルの手元に残った文豪の書簡である。

「私は今ひどく病んでいて、あなたの美しいお手紙、いやむしろ美しいエッセー、美しい友情擁護論にお答えできずにいます。〔……〕ともかく私はたった一人の身でしかありませんし、他の人々に恵まれたとしても、それはただ彼らが、私に、私のなかに、いくつか発見を残す限りでのことでしかありません。それもあるときには私を苦しめるというかたちで（友情よりもむしろ愛によって苦しめるのです）、あるいはまた彼らの滑稽な面（友人のなかに見たいとは思わない面です）をつきつけられて。もちろん私はそうした滑稽な面を馬鹿にはしませんが、彼らの性格がわかってしまうのです。あなたが列挙なさった友人のなかには私たちに共通の人が一人おります（一人の女性の友達です）。ノアイユ夫人のことです。私は、ずいぶん昔から彼女を知っています。彼女が少女のときからです。彼女以上に感動した作家を私は知りませんし、だからこそ彼女に心底、友情を抱いているのです。彼女と話していると、彼女の本では見出せないことを得ることができます。しかし（本当に正直に申し上げるのですが）十五年このかた、私は彼女に会おうと試みたのは三度もありません。〔……〕どうかこうお考えください。私が友情に関して申し上げることは、おそらく過剰な理論的欲求に発している、と。私は長いこと、芸術さえも自分を満足させないと思ってきました。便宜として、どうか有名な次の言葉を使わせていただきます。「他者のことしか考えていなかったエゴイスト」」

（ベルルに宛てたプルーストの書簡、モリノの前掲書より、拙訳）

このようにプルーストは、友情に関してすら、打ち解けた心の交わりとは距離のある曖昧な関係を抱いていた。恋愛観はいっそう複雑であったと予想されるだろう。戦場のベルルはプルーストの感性と知性に真正なものを感じていた。他方で一人の女性との愛の成就を切に願っていた。

10　嘘も真理への愛

『文学と悪』のバタイユはベルルとプルーストの関係の本質をよく見抜いていたと私は思う。ベルルが遠回しにプルーストを称《たた》えているという関係だ。この点をもう少しバタイユとともに考えてみよう。

真理は真理自身を否定する力をすでに内包しているというのがバタイユの見方である。プルーストの真理への愛を真理への貪欲さと言い換えて、彼はこう説く。

「この真理への貪欲さは、逆に、この貪欲さが仕える原理をも、すなわち真理それ自体をも、ある一点で侵犯することに反対したりはしない。〔……〕一個の美徳の根底には、その美徳自身の鎖を断ち切る力がある。我々はそうした力を持っている。伝統的な道徳は、この道徳の密かな原動力を無視してきた。そのため、道徳の観念は精彩を欠いてしまった。つまり本来の美徳からすれば、精彩のない道徳生活は臆病な順応主義のように見えてしまうのだ。逆に、精彩に欠ける道徳生活の側からすれば、この道徳への軽蔑は、ただの非道徳にしか見えてこないのである」

（バタイユ『文学と悪』「プルースト」、拙訳）

嘘をつくことは、真実を裏切る虚偽として否定されるのが常である。真理と虚偽は相対立する反対概念だ。ところがバタイユは嘘をつくことをも真理への愛の一環として肯定していく。

プルーストは長じても母親を心から愛していた。だがまた別の存在をも心から愛するようになる。伝統的な道徳観に従って同性愛を嫌っていた母親に対して、プルーストはその母親を愛しつつ、虚言を繰り返して同性愛に耽った。しかしまたこの同性愛に生きる自分を裏切って、自伝的要素の濃厚な小説『失われた時を求めて』ではこの同性愛の相手を女性名アルベルティーヌで登場させる。アルベルティーヌという名前（Alberine）はフランス人の女性名としては珍しい部類に入り、フランス人は男性名アルベール（Albert）、その愛称アルベルタン（Albertin）をすぐに連想するが、ともかく小説の主人公である「私」（作者と同名のマルセル）は、異性愛を尊ぶ社会道徳に表向き従っている。

真理への愛は真理を裏切るが真理を全面的に否定するわけではない。なぜなのだろうか。なぜ全面的に否定しないのだろうか。

母親への愛、同性愛、異性愛。小説家プルーストにとってはこのどれもが真理に見えていたし、同時にどこかでこれらへの愛を裏切っていた。

ベルルはベルルで、ベルクソンの哲学を自分の実存から遠い世界とみなし、「自分が今対話しているこの人が持っている世界は、自分がすでに出て行った世界なのだ」と結論づけていた。それでいて結婚という、伝統的でユダヤ教の観念に沿う生の持続の発想に執着していた。この執着から引き離そうとするプルーストに強く惹かれながらも、幼なじみのシルヴィアとの愛の成就を心から欲していた。結婚も非婚も彼には真理に見えていた。どっちつかずの真理への愛に彼も生きていたのだ。

『文学と悪』所収の「プルースト」とほぼ同じ頃に書かれたバタイユの遺作『至高性』を紐解くと、人間の本質に関するバタイユの次のような言葉を見出す。全面的な否定に至らない不安定な心の揺れ動きこそ、すぐれて人間的だというのである。

「人間の世界とは、結局、禁止と侵犯の混淆以外ではないのだ。そこでは人間のという名称が相矛盾する諸運動からなる一体系をつねに指し示している。これら相矛盾する運動のうちの一方のもの、すなわち禁止の運動は、他方の運動、すなわち侵犯の運動に依存していて、これを中和化させつつもけっして全面的に排除せずにいる。侵犯の運動の方も、激しい力を解き放ちはするが、この暴力性は、そのあとに平穏な動きが続いてくるとの確信と一体をなしている。したがって人間的なという名称は、素朴なひとたちが想像しているような、安定した位置づけを指すのでは断じてない。実はこの名称は、人間の特性に固有の、見たところ定めない均衡を指すのである。人間という名称は、互いに相殺しあう運動のありえないような組み合わせとつねに関係しているのだ」

「われわれが人間の特性を見出すのは、何らかのはっきり確定した状態のなかではなく、所与――それが所与であるなら、どのようなものであれ――を拒否する者の、つねに不安なまま、どうにも解決しようのない葛藤のなかにおいてなのである。原初的には、人間にとって所与とは、禁止が拒否しようとしたもの、すなわちいかなる規則によっても制限されていない動物性のことだった。しかしやがて禁止自体が今度は所与となり、人間はこの所与を拒否するようになった。とはいえこの拒否は、もし可能なるものの極限を越え出てしまうならば、存在することの拒否に、つまり自殺にしかならないだろう。このように、後退することも先に進みすぎることもまったく問題外となってしまい、つねに突破口の上で戦闘している状態にこそ、人間の生の複合し、矛盾した諸形態は関係しているのだ」

（バタイユ『至高性』第三部第二章第二節「永続的に戦闘状態にある人間の実存、あるいは所与の否定において人間的尊厳と至高な尊厳とが根本的に一つであること」、人文書院、湯浅博雄・中地義和・酒井健訳）

　塹壕戦の最前線にいたベルルは、自ら銃剣でネズミを刺し殺し、他方で飛来する弾丸で戦友を次々に失っていった。生きている存在がその生命を全面否定されて物体に変わる不連続の極致に彼はいた。さきほど引用した伝記作者モリノの言葉は意味深長だ。「その時まで人と物との間には豊かさが介在していたのだが、もはや貧しさに根差す真実を体験させられて、彼はこの豊かさから永久に遠ざけられた」。全面否定は生物をこの貧しさに捨て去ることでしかない。そしておそらく全面肯定も対象を生命なき物体へ祭り上げることとだろう。精彩のない善になって、ただのお題目になるだけなのかもしれない。

　バタイユは、全面否定にも全面肯定にも至らない真理への愛の曖昧さに生の豊かさがあると、人間性の豊かな本質があると、見ていた。バタイユはプルーストに拠りながらさらに踏み込んで人間のこの本質の奥へ考察を進める。人間はあえて善と悪をともに欲してきたのではないのかというのだ。

「サドよりも巧妙なプルーストは、享楽することを貪婪に追い求めて、悪徳に、美徳からうける断罪というおぞましさをのこしておいた。もちろん、彼は、快楽を味わうために有徳であろうとしたのでなく、以前に美徳に到達しようと欲したことがあったからこそ、快楽を味わうことができるようになったのだが。悪人たちは、悪において、その物質的な利得しか認めようとしない。たとえ彼らが、他人の悪〔損害、迷惑〕を求めるとしても、その悪は、要するに彼ら自身の自己本位《エゴイスティク》な善でしかないものである。悪が宿されている錯綜をときほぐすことができるためには、わたしたちはまず、さまざまの反対物が、おたがいにその反対物なしには存在しえないほどに、緊密に結びついているそれら相互間の絆を、明瞭に見さだめなければならない。わたしはすでに、幸福とはただそれ自体でのぞましいものではなく、不幸もしくは悪の試練にかけられて、それへの渇望がわたしたちのなかでかきたてられるのでなければ、たちまち倦怠の源と化してしまうものだと言ったが、その逆もまた真理なのである。すなわち、もしわたしたちが、プルーストのように（また、サドもおそらく根本的にはそうだったのだろうが）善への渇望をもっているのでなければ、悪もまた、まったくなんの面白味もない一連の感覚しかわたしたちに味わわせてくれないものとなる」

（バタイユ『文学と悪』「プルースト」山本功訳）

社会道徳において善は個人個人が生き延びていくために必要な価値だ。社会全体もそうして明日へと生き延びていく。だがバタイユによれば、善は、それだけでなく、悪を活性化し、快感をよりいっそう高めるために必要なのだとなる。個体の生命維持のためだけでなく、それを困難にする悪のためにも善は存在しているという見方だ。ここからさらにバタイユは、自由を肯定する近代人にはにわかに同意できない発想を展開する。侵犯は禁止があってこそ活性化する。自由の喜びは不自由な拘束に依存している。自由はじつは不自由と結託しているというのだ。

ここで近代民主主義を信奉し、自由の自発性を尊んできた人々はいかにも反動的な発想だとバタイユを批判することにもなろう。

一時にせよ禁止から自由になるのが侵犯の情念であるはずなのに、その情念は禁止の束縛を是認していたとなると、自由を本当に欲しているのか疑わしくなる。禁止に依存した自由など自由と言えるのか。禁止の体制を温存させる保守主義なのではあるまいか。

根源的な疑問の湧くところだが、「愛の国」のもう一人の重要な思想家ミッシェル・フーコー（一九二六―一九八四）はさらに自由と不自由のこの絡み合いを前面に出して高著を編んだ。『性の歴史』の第一巻『知への意志』（一九七六）である。道徳を逸脱する愛と、道徳を強いる権力の関係を暴いて見せたのである。「愛の国」はまさにこの両者の戯れからなると看破したのだ。最後にフーコーのこうした議論に耳を傾けてみよう。彼自身、同性愛者として差別や蔑視を被ってきたが、単純な近代道徳批判とは一線を画した、深い視点から西欧の特異性を暴き出している。

11　真理の探求と性の問題

まず私から前提として指摘しておきたいのは、旧約聖書の冒頭「創世記」の物語だ。有名なアダムとエバ（イヴ）の話である。西欧はキリスト教文明圏であり、旧約聖書はキリスト教とその淵源のユダヤ教の聖典である。西欧の性道徳の起源がこの話にあると言っていいだろう。

神は天地創造を終えたあと、エデンの園に最初の人間であり男のアダムを住まわせ、こう命じた。「園《その》のすべての木《き》から取《と》って食《た》べなさい。ただし、善悪《ぜんあく》の知識《ちしき》の木《き》からは、決《けっ》して食《た》べてはならない。食《た》べると必《かなら》ず死《し》んでしまう」（「創世記」2.16～17、新共同訳）。やがて神はアダムから女のエバを作ったが、そのエバがある日、蛇にそそのかされてこの善悪の知識の木から実を取って、アダムにも分けて食べてしまう。すると、「二人《ふたり》の目《め》は開《ひら》け、自分《じぶん》たちが裸《はだか》であることを知《し》り、二人《ふたり》はいちじくの葉《は》をつづり合《あ》わせ、腰《こし》を覆《おお》うものとした」（「創世記」3.7、新共同訳）。人はこうして善悪を知るようになり、性器を隠すようになる。認識への目覚め、そしてその最初の対象が性器に特定された瞬間である。道徳の問題がとりわけ性の問題に集中し、しかも道徳認識の最初の対象として性器が特化されたのだ。これを覆ういちじくの葉はまるで知が何をめざすべきかその先を明確にアピールしているかのようである。隠すがゆえに知を誘導しているように見えてくる。

神はこのように自分が課した禁止を人類が侵犯したことを怒り、彼ら二人をエデンの園から追放する。その理由の真意を神はこう告白する。「人《ひと》は我々《われわれ》の一人《ひとり》のように、善悪《ぜんあく》を知《し》る者《もの》となった。今《いま》は、手《て》を伸《の》ばして命《いのち》の木《き》からも取《と》って食《た》べ、永遠《えいえん》に生《い》きる者《もの》となるおそれがある」（「創世記」3.22、新共同訳）。神は人間が神と同類になったことを恐れている。善悪を知り、永遠に生きる存在であり続けることを恐れているのだ。自分と似たような存在がいてもらっては困るということか。了見が狭く、嫉妬深い性格が見えてくる。自分でも「妬む神」（「出エジプト記」20.5）と形容しているから、その通りなのだろう。この世を作った天上の神、この最高の権力者の心の内はずいぶんと人間臭い。そこがいい。旧約聖書をいちだんと深い宗教書にしている遠因がここにある。矛盾と謎と疑問の書、立体迷路のように複雑で、切々とした情愛や嘆きに満ちた書にしている本質的な一因がこの神の人間臭さに、人間の生臭い心理を神が生きている点にあると私は思っている。

それはそれとして、フーコーがまず問題にするのは、西欧が性の問題を真理の探究の対象に据えて、この探究に異常な関心を示してきたことである。性への関心それ自体ならば旧石器時代から人類の特徴になっているし、性行為をよりいっそう楽しむためにその術《すべ》を探究することも洋の東西を問わず広く行われてきた。しかし、ことさらに知の重要な対象として性の問題を捉え、そこに人間にとって重要な真理が潜むとみなし、探究心を燃やしてきたのは人類史において特異な傾向であり、西欧の特徴だとフーコーは見るのである。その淵源として今しがた私が紹介した「創世記」の挿話があると思う。

だがフーコーが強調するのは中世以来、教会堂内で行われてきた告解の伝統だ。性にまつわる体験や心理の告白、その言葉。これを重視する伝統である。

私見では、その源にもユダヤ＝キリスト教がある。元来、秘められていた真理が言葉とともに表に出てきて認知される、この現れに注目せよ、という発想。これは新約聖書の「ヨハネによる福音書」の冒頭にある有名な記述を想起させる。「初《はじ》めに言《ことば》があった。言《ことば》は神《かみ》と共《とも》にあった。言《ことば》は神《かみ》であった。この言《ことば》は、初《はじ》めに神《かみ》と共《とも》にあった。万物《ばんぶつ》は言《ことば》によって成《な》った」（「ヨハネによる福音書」1.1〜3、新共同訳）。ここで問題になっているのは旧約聖書の冒頭にある神の言葉「光《ひかり》あれ」（「創世記」1.3）である。神はまずこの言葉を発して光を、そして大空を、陸を、草木を、この世に創造していった。ヨハネなる福音書家はこの点を踏まえつつ、神によるイエスの創造へ話をもっていく。旧約聖書から新約聖書へ、ユダヤ教からキリスト教へ、新たな進展がここに示される。「光あれ」の言葉が肉体化した存在、いわゆる神の言葉の受肉。それがイエス・キリストだというのだ。この場合の「光」はもはや「創世記」にあるような目に見える物質的な光ではなく、神の愛という心のなかで輝く精神の光のことである。「言《ことば》は肉《にく》となって、わたしたちの間《あいだ》に宿《やど》られた。わたしたちはその栄光《えいこう》を見《み》た。それは父《ちち》の独《ひと》り子《ご》としての栄光《えいこう》であって、恵《めぐ》みと真理《しんり》とに満《み》ちていた」（「ヨハネによる福音書」1.14、新共同訳）。

神による愛の贈与としてイエスはこの世に現れた。それと同じように神の愛が現れる現象があると、その後のキリスト教徒は考えた。そしてこの神の愛の顕現を恩寵と呼び、儀式のなかで現れる場合に秘跡と呼んだ。その秘跡の一つが告解なのだ。

告解とはキリスト教徒が自分の犯した罪を聖職者に告白することだ。現在でも教会堂には小さな木造の告解室があり、そこに聴聞僧と懺悔者が左右の狭い空間に入って、前者が後者の告白を聴くシステムになっている。聖職者に罪を告白すれば、聖職者を介して神のゆるしが得られるというのである。両者の間は格子窓で仕切られ、相手が見え隠れする曖昧な状況だ。この儀式が七つの秘跡の一つとして正式にカトリック世界で認可されたのは一二七四年にフランスのリヨンで開催された宗教会議でのことだった。七つの秘跡とは、洗礼、堅信、聖体、ゆるし、病者の塗油、叙階、結婚である。告解はこのなかの「ゆるし」に含まれる。

フーコーが注目するのは、一五一七年のプロテスタントの勃興に脅威を覚えたカトリック勢力がイタリアのトリエントで開催した公会議（一五四五―一五六三）での決議である。プロテスタント側の宗教改革を受けて、それへの対抗改革（反宗教改革とも）の一つとして、告解においては中世のように性の細部に入り込んで露骨な質問をしてはならないと、いわば禁止の命令を自らに下したのだ。これにより「当事者の体位、取った態度、仕草、撫で方、快楽の正確な瞬間といった、性行為の微に入り細をうがった経過をその行動そのものにおいて捉えることを避けるようになる」（フーコー『知への意志』渡辺守章訳）。

だが事態は逆に推移した。「ほのめかし」にとどめよとの禁止にかかわらず、告解の儀式は広まり活性化した。フーコー曰く、「用いられる言葉は厳選されるにしても、告白の、肉欲の告白の及ぶ範囲はひたすら拡がるばかりである。その理由は、反宗教改革がすべてのカトリック教国において、年間の告白のリズムを早めることに腐心するからである。反宗教改革が、自己の検証という営みの詳細な規則を強制しようとするからである。しかしとりわけ、反宗教改革が、告解において――しかもおそらくはある種の他の罪は犠牲にしても――肉欲に関するすべてのほのめかしに、ますます重大さを与えるようになるからである」（フーコー『知への意志』渡辺守章訳）。

この「ほのめかし」の重視が逆に性の探究を勢いづけたとフーコーは考える。カモフラージュされたのが刺激になったのかもしれない。ともかく間接的な言い回しが隠れ蓑になって、さかんに性に関する言葉がキリスト教知識人のあいだで語られるようになるのだ。「性が直接的に呼ばれることがないようにと人々が細心の注意を払って洗練した言語という覆い＝保証の下で、性は、もはや曖昧さも猶予も与えようとはしない一つの言説によって、あたかも追いつめられた獲物のように、引き受けられるのである」（フーコー『知への意志』渡辺守章訳）。

言説（discours）とは、合理的な言葉のことで、断言であったり説明であったり禁止の命令であったりする。発話されてもいいし、書き記されてもいい。西欧では、この言説が、性にまつわる在り方で、しかし性行為の具体的な描写を避けながら、どんどん発展していった。人間の心の機微や行動の細部、身体の部位に立ち入ってまで、どんどん語られるようになっていった。だがそこでフーコーが力説する最も重要なことは、この性にまつわる言説が権力を持つようになり、人々を支配するようになったことだ。特定の人物なり組織が発信源だとはいえ、発せられた言説それ自体が権力になって作用を及ぼすようになった。言葉が、権力者のもとを離れて一人歩きし、社会のなかで権力を発揮するようになったのである。

ここで私が補足した「ヨハネによる福音書」の冒頭にある「言《ことば》は神《かみ》と共《とも》にあった。言《ことば》は神《かみ》であった」が想起されるだろう。キリスト教文明圏では言葉が重視されたまま、言葉と同等に結びつくものが神に代わって権力そのものになったのだ。それほど言葉が重視されている。真の神は言葉であり、近代になってもそのまま言葉が神のごとく信仰され続けている。

さらにもう一点補足すれば、愛もまた言説とともに生き続けた点が重要である。フーコーの指摘をあとで紹介するが、近代の西欧では、中世の告解に端を発して、告白形式の愛の言説が、とりわけ文学の世界で増えていくのである。また作家や芸術家の私的な書簡、日記などからその発掘が進むのだ。秘められた真理がそこに開示されていそうな期待から、出版が進むのである。この場合の愛とは神の愛のように優しさに満ちた慈しみの情念もあれば、肉欲に密着した非道徳的な欲望もある。このような広がりをもちながら彼ら文学者や芸術家の書き残した愛の言葉は光となって、多くの人を惹きつけて現在に至っている。その言葉は、本来、社会の権力とは別次元に属していて、無力であり、役に立ちはしない。実社会で生き延びていくために必要不可欠というわけではない。いわば余剰なのだ。だが彼らの語る愛の言説は、社会に生きる多くの人の心を支配し、動かし、ときには破滅させてきた。政治権力や法の権力とは異なる力を発して、人の心を魅了してきた。

文学部とはこの二つの言説の意義を追いかけるところなのだと、今の私は思っている。愛に関する無機的な言説と心の言説。社会的権力となる言葉と、非社会的な人間の内面の言葉。この二つをしっかり見極めていくところなのだ、と。とりわけ大学に入る前の私は、後者の言葉に憑かれていた。愛の光源を、自ら倒れるほどに思慕した人々の群れ、その言葉の森。当時の私には文学部は「遠方のパトス」に見えた。その鬱蒼とした情念の世界へ入っていきたいと、十代半ばから私は切に欲していた。

12　性の言説と生権力

再びフーコーに戻って、西欧における告解の進展をたどってみよう。

告解が引き起こした性の言説化は、中世から近代へ時代が進むにつれ、新たな展開を見せるようになる。もはや宗教の場を離れて、広く一般社会において重要な意味を帯びてくるのだ。後期フーコーのテーマ、「生権力」の問題と関係してくる意味合いである。要するに国家が国民の生命を管理する目的で、つまり端的に言って、人口の増大あるいは抑制をもくろんで、国民の性に介入してくるということだ。その主要な場としてフーコーが注目するのが、教育の場と医療の現場、そして個々の家庭である。教育の場では模範的な性の在り方がさかんに指導されるようになり、医療の現場、とくに精神医学の診療においては患者の告白から深層心理の解明が図られるようになる。告解の近代版だ。そしてフロイトなどの探究心旺盛な学者は診療体験から人間の心の特徴的な傾向を学説として立ち上げていった。人間の真理がそこにあるというわけだ。家庭は、性道徳の言説の中継基地であり実践の場となる。性の交わりは男女の大人の事柄であり、夫婦においてのみ是とされる社会道徳がそれぞれの家庭で引き受けられ、実践されていく。父と母はその実践者であり、その実践の場、つまり正式な婚姻関係で成立する大人の性行為の現場は子供には無縁であらねばならず、閉ざされた寝室に限られていく。

このように規範化が進むとそこから逸脱する性の欲望も増大し、また多様化する。教育の場で自慰行為が悪とされれば、これに耽る子供が増え、性の交わりが父母に限定されれば、子供はその現場を覗き見ようと欲し、またそこに割り込みたいと欲する。息子は母親を愛し、娘が父親を愛するという構図だ。その他、異性愛を是とする道徳から逸脱して同性愛に走る者も増えてくるだろうし、禁断の愛を犯す代わりに愛する人の代理の物体へ愛を差し向ける者もでてくるだろう。精神医学はこれらを倒錯とみなしてそれぞれに名称をつけ学説として定立していった。曰く、エディプス・コンプレックス、サディズム、マゾヒシズム、近親愛、同性愛、フェティシズム等々。こう規定され、真理として確立されても、「倒錯者」はしばしば、これらの学説の枠組みを超えて快楽を追い求めていく。欲望の新たな行方と、それを追いかけていく「知への意志」。この「知への意志」を発動する権力側もじつは快楽にふけっているのだと、フーコーの切り込みは鋭い。抑圧をもたらす元凶としてのみ権力を捉えてはならないと彼は繰り返し主張する。例えばこのように。

「快楽は、自分を狩り出してきた権力の上に拡がり、権力は今狩り出したばかりの快楽をしっかりと繋ぎとめる。医学的検査、精神医学的調査研究、教育学的報告、家庭内の管理が、これらすべてのさ迷える非生産的な性行動《セクシュアリテ》の否定を、包括的かつ外見上の目標としてもっているというのはあり得ることだ。しかし事実は、それが、快楽と権力という二重の推力＝衝動をもつメカニズムとして機能しているということなのだ。質問し、監視し、様子を窺い、観察し、下までまさぐり、明るみに出す、そういう働きをする一つの権力を行使する快楽である。そして他方には、このような権力をくぐり抜け、その手を逃れ、それをたぶらかし、あるいはそれを変装させなければならないが故に興奮するという快楽がある。自らが追い回している快楽によって侵入されることを諾う権力と、そしてそれに対峙するようにして、自らを誇示し、相手の眉をひそめさせ、あるいは抵抗するという快楽の中に自らを主張する権力がある。籠絡と誘惑であり、対決と相互的補強である。親たちと子供、大人と少年、教育者と生徒、医師と病人、精神病医師とそのヒステリー患者ならびに性倒錯者たち、彼らはすべて、十九世紀以来、このゲームを演じ続けているのだ。これらの呼びかけ、これらの逃げ、これらの循環的煽動は、性器《セックス》と身体のまわりに、越えるべからざる境界をではなく、権力と快楽の**無限に繰り返される螺旋**を張りめぐらしたのである」

（フーコー『知への意志』渡辺守章訳）

端的にまとめてしまえば、権力者と被権力者は快楽をともにする共犯者だといいたいのだ。両者の螺旋状の絡み合いは、上に向かってにしろ下に向かってにしろ、進展と変化に終わりがない。この共犯関係での強烈な例をバタイユの小説に求めることができる。彼の読者ならば、もうすでに、ああ、あの場面か、と想起されていることだろう。『眼球譚』（一九二八）のクライマックス。スペインのセビリアで教会堂に入ったヒロインの悪しき少女シモーヌが告解室で若い聴聞僧を性愛の言説と仕草で挑発する場面である。猥雑な告白をしながらシモーヌは自慰に耽《ふけ》り、しまいには格子窓越しに自分の性器を聴聞僧に見せつける。さらにシモーヌは彼を告解室から引きずり出し、その法衣をたくし上げて、硬く屹立《きつりつ》した男根とバラ色に充血した亀頭にフェラティオの強力な愛撫を施すのだ。若き司祭の「知への意志」は跡もなく溶かされ恍惚の境へ消えていく。

そもそもこの小説自体、精神分析という「知への意志」が出発点にあるのだが、その文面に現れたのはおよそ知にはおさまらない性欲の濁流だった。一九二〇年代後半のバタイユは精神的にきわめて不安定な状態にあり、友人の勧めで精神分析を受けるようになる。担当医師は治療の一環として彼に小説の執筆を課した。バタイユは、自らストーリーを設定し、構成をしっかり立て、合理的な文章で書き進めていった。不安な心理に溺れかけていた彼はこうして理性的なレールに乗ることで、かなりの程度救われたのである。そしてこのレールの上を進みながら、バタイユは右に左に性の妄想を吐き出していった。この表出は嘔吐のあとのように彼に解脱をもたらしたが、吐き出された妄想は眼球をめぐる突拍子もない光景ばかりだった。彼はしかしそこから自分を苦しめる深層心理の核心を探り出していく。小説の末尾に添えられた「一致」の章（生田訳では「回想」）はまさにその探求の跡、彼の「知への意志」の成果なのである。だが、そこから現れ出たのは亡き父の異様な白目だった。眼球への妄執が父親の眼球にあることをバタイユは突き止めたのだ。梅毒を病み、下半身不随のまま糞便を垂れ流す、その間際の恍惚とした父親の表情、その白目に反転した眼球こそ彼の異様な想念の原点だったのである。しかしそれが分かって何になろうか。虚空を見るともなく見つめる盲目の父親の眼差しは、妄想の根源として認知されはしても、いっこうにバタイユを鎮《しず》めることはなかった。拭い去れぬトラウマのごとく心の奥底に棲みつき、ことあるごとに意識に浮上しては彼を苦しめた。六十歳を過ぎてもまだ彼のなかで父親の姿は生き続け、バタイユをつらい回想に沈めていたのである。

小説『眼球譚』は性愛の言説である。だがそれは読者に衝撃を与えこそすれ、権力としては機能しない。道徳的規範にも、社会生活の手本にも、生きる指針にも、とうていなりはしない。家庭や教育の場で率先して推奨されるような良書ではまるでない。「知への意志」を発動してバタイユは自らの想念の起源を掘り当てたが、それは非社会的な異形の父親の、忌まわしい虚空への眼差しにすぎなかった。しかしそれゆえに、つまり愛の言説の、まさに愛本来の非‐知への行方を指し示しているがゆえに、この小説は意義深い。社会的権力にならないからこそ、非社会的で非力であるからこそ、掘り当てられた真理がただの虚空を目指す見えない目の眼差しであるからこそ、この小説は価値があり、じっさい近代社会においていまだに読者を獲得し続けているのである。そう、まさに近代社会に生きる人々の矛盾を、社会的でありながら非社会的なものを欲するその二重性を、この小説は照らし出している。『眼球譚』ばかりではない。「愛の国」フランスでは過激な愛の言説が次々に生み出され、さかんに読まれてきた。どの国にも率先して「知への意志」を発揮してきたこの近代合理主義思想の手本のような国において、信じがたい人が、信じがたい愛の小説を書いていたのである。

13　性の告白小説

フーコーは『知への意志』のなかで、中世の告解に淵源する近代文学の傾向として告白体の小説の流行をあげている。秘められていたもの、知られずにいるもの、私的なものにこそ本当のことが宿っており、それを明確な文言にすることは真理の追究と開示として価値があり重要だとの見方にのって、とりわけ十八世紀以降、小説家が告白調の作品を書くようになった、というのである。それは哲学者にまで及び、真理とはアレテイア（存在様態が隠蔽状態から白日の下に現れでること）なのだと託宣したりする。ともかく近代の作家は、本当の自分の心理にせよ、虚構の心理にせよ、主人公「私」に語らせて物語を編むようになった。書簡体や日記形式の作品も現れるようになる。さらには、古い屋敷の部屋に置かれた机の引き出しから、かつての住人の手記をたまたま発見して、それを紐解くところから物語を始めるという手の込んだ形式も試みられた。二十世紀になると新たな展開として、有名作家や芸術家、哲学者の手紙、日記、あるいは遺稿の出版がさかんに行われるようになる。カフカ、ゴッホ、ニーチェなど、本人にとってはまったく予想だにしなかった内輪の資料の公開であるが、多くの人が感動とともにそれらを読み、貴重な研究の対象にもなって現在に至っている。

こうしたインサイド・リポートの系譜の発端近くに位置し、フーコーが力をこめて紹介する愛の言説が、ドゥニ・ディドロ（一七一三―一七八四）の小説『お喋りな宝石』（一七四八）である。ディドロと言えば、フランス啓蒙思想の代表格で、『百科全書』（一七五一―一七七二）の制作者として有名だ。啓蒙思想とは、まさに蒙《くら》きを啓《ひら》くこと、つまり非理性の闇に理性の光を差し向けて、その不正を暴き立てて、為政者・民衆ともども善導することに主眼がある。不合理な政治制度から宗教的世界観、迷信や因習に至るまでその理性の照明は同時代社会のあらゆる分野に差し向けられた。保守的な専制君主側とカトリック教会側からすれば、体制転覆、無神論につながる危険思想だった。ディドロはすでに一七四五年に『百科全書』の企画に取りかかっており、一七四六年には、既成の宗教観を批判する処女作『哲学断想』を匿名で、出版地も偽って出版している。この書は大きな反響を呼び啓蒙思想の成功作になったが、案の定、即刻、焚書の判決を受けてしまう。『お喋りな宝石』は同じパリの出版社から同じように著者と出版場所をカモフラージュして、一七四八年にフランスで刊行された。読者はまたたくまに増加し、翌年には英訳本がイギリスで出版される。だが当のディドロは、この小説、および無神論を説く『盲人書簡』（一七四九）が当局の怒りを買い、ヴァンセンヌに投獄されるのだ。その後サドが入ることになるパリ近郊の城塞牢獄である。

この小説の舞台はアフリカのコンゴ王国であり、主人公マンゴギュルはその国王なのだが、フランスの読者にはそれが同時代のフランス、ルイ十五世王の書き換えであることはすぐに知れた。話の筋立ては破廉恥そのもの。国王が、ある特別な指輪を女性の前でくるりと回すとその女性の「宝石」（女性器の隠語）が饒舌に語りだし、性の遍歴が暴露されるという設定である。様々な女性が登場し、意外な話が次々に披瀝される。こうして当時の上流社会の風俗がいかに非道徳で乱れていたか、その実態が暴かれて体制批判の書となった。その意味で啓蒙思想にかなっていたと言えるし、ディドロの大義名分もそこにあった。しかし大方の読者はむしろ、蒙《くら》きを啓《ひら》く行為の蒙《くら》きところに惹かれてしまった。性器が語りだす経験の、およそ知的真理から程遠い内容に鼓舞されたのだ。

とりわけ第四七章は過激な描写で知られる。その一端を紹介しておこう。原文は、同じ性器が語る場合でも相手によってその経験談の言語がフランス語以外の諸言語で綴られて、たくみにカモフラージュされている。マンゴギュル王は美からかけ離れたある女性がなぜこれほど大金持ちになったのか、その理由を聞きたくなり、指輪を回したのである。するとこの女性の「宝石」はこう語りだした。まず英語で書かれた告白である。

「フランスを旅行中、一人の富裕な英国の貴族が、あたしをロンドンへ連れて行ってくれました。ああ、その人はまったく素晴しい男子でした！　彼は日に六回、夜も同じ回数だけあたしを水びたしにしてくれました。彗星の尾のような彼の針は、まるで火のようにあたしを突き刺しました。それまであたしは、これほどすばやく突込まれたことはなく、思わず、ぞっとしました。こうした突撃を長いことつづけるのは、生身《なまみ》にとってはとても不可能なことでした。で彼は次第に萎れていき、あたしは中足を通ってしたたり落ちる彼の魂を受けとめました。彼はあたしに五万ギニーくれました。この高貴な貴族の跡目は、航海から帰ってきて間もない二人の海賊船の船長によって受けつがれました。仲の好い親友同志であった二人は、航海中どっちが強いか、どっちが大砲を射つのが上手かを競い合ったように、二人であたしを競い合いました。あたしは一人が碇泊して休んでいるあいだに、もう一人の中足を引張って、彼のために心地よい疲れを準備してやりました。ごく内輪にみつもっても、あたしは八日のあいだに、百八十発受けた勘定になります。しかしじきにあたしは、一々こんな正確な計算をするのに疲れてしまいました。というのは、彼等の偏舷斉発にはきりがなかったからでした。あたしは彼等の手に入れた獲物の分け前として、一万二千ポンドもらいました」

（ディドロ『お喋りな宝石』新庄嘉章訳）

続いてラテン語で書かれたドイツの伯爵との経験談である。

「彼はあたしを、その故郷オーストリアのウィーンに連れて行きました。そこであたしは、まる三月《みつき》というもの、酒池肉林の悦楽にふけることが出来ました。彼の睾丸は、ローレン人のように皺が多くて、地面を引きずるほどにゆったり垂れ、陰茎は長く固く、さすが千軍万馬のあたしの口も、いかに大きくあわれげに開いても、その半分も受け入れることはできませんでした。しかし、たびたび交わりを繰りかえしましたので、そのうちには悠々とその巨きな剣を受け入れることができるようになりました。そこであたしたちは新しい色んな技巧を考えだしました。そして毎日の交わりの倦怠を救うことができました。ある時は、彼は仰向けにあたしをゆり動かしました。またある時は、あたしの方が騎士となって、鼠蹊部をぴったりとくっつけ、殆どトロット調で、彼をゆり動かしました。しばしば彼は、ふくれ上った、泡ふく陽物をあたしの口に近づけました。そして、接吻したのちに、鈴口であたしをこすり廻すのでした。彼は決してお尻の快楽には耽りませんでしたが、しょっちゅう後取で攻めたてました。片脚を高く上げさせ、片脚は下にさげさせて、快楽の邪魔物を突破するのでした」

（ディドロ『お喋りな宝石』新庄嘉章訳）

こうした女性器による即物的な告白がどこまでも続くのである。フーコーに言わせると、彼の書『知への意志』の試みは、ディドロの小説の「想像上の物語を歴史に書き直すことだ」となる。つまり「我々の社会は、その数ある紋章の中に、語る性器《セックス》という紋章をもっている。人が不意に捉え訊問すると、強制されながらも饒舌に、果てるところを知らず答える性器という紋章である。〔……〕我々はすべて、随分と以前から、マンゴギュル公の王国に住んでいるのだ。性《セックス》に対する巨大な好奇心に捕えられ、それに執拗に問いかけようとし、それが語るのを、そしてそれについて語るのを聞いて飽くことを知らず、慎みなどは捨ててしまえと急《せ》きたてる魔法の指輪を次から次へと発明してみせるのだ。あたかも我々が、性という我々のこの小さな断片から、単に快楽だけではなく、知と、そしてこの両者の間を往復する微妙なゲームのことごとくを引き出し得ることが最も重要であるかの如くにである。快楽の知であり、快楽の実体を知る快楽、〈知である快楽〉である」（フーコー『知への意志』渡辺守章訳）。

性器が語ることを真理の表出として捉え、これをしっかり認識していくこと。しかもそうして知は快楽を得ていく。それが西欧近代社会を特徴づける「知への意志」なのだ。このフーコーの主張に私はどうしても一言付け加えたい。知ることができないものへの探究と、その探求の果てに知の彼方へ入っていく快楽もまたあるのだ、と。後期フーコーでは影をひそめる見方だ。

ディドロの性の描写からは、彼の唯物論、そこに由来する無神論が見えてくる。この世には物しかなく、観念的な超越者、精神的実体など虚妄だと考える立場である。性器の大きさ、性の回数、性の体位、これらはすべて目に見える物的な事柄だ。それしかないのがこの世界なのだから、それを隠してはならず、明らかにすべきではあるまいか。神の裁定などありはしないわけだし。ディドロはこの視点から語る。それゆえ、性器の告白には深みがない。奇想天外で面白く読むことはできるが、表層の快楽しか得られない。無機的な言葉だけがあとに残るばかりなのだ。言葉への疑いがないと言い換えてもいい。言葉即物的な言葉の表現への反省がないということだ。言葉で言い表せない、しかし観念的ではない、そういうものへの感性が彼の性描写には欠落している。

14　言葉の奥にあるもの

西欧の無神論には、十八世紀の啓蒙主義時代の唯物論に発するものと、それとは別の系譜のものがある。別の系譜とは、十九世紀後半の哲学者ニーチェの「神の死」に発する系譜だ。「神の死」が述べられるニーチェの有名な断章（『悦ばしき知識』一二五番）を読むと、狂人が真昼にランプをもって市中の広場に現れる。彼を囲むのはディドロ的無神論のうちに暮らす「正常な」近代市民だ。その人々に向かって、狂人は神を失った恐怖を切羽詰まった口調でこう語るのである。さらなる啓蒙というべきか、暗い世界へ理性の光を差し向けて、しっかりそれを認識せよと迫るのである。「おれたちは無限の虚無の中を彷徨するように、さ迷ってゆくのではないか？　寂寞とした虚空がおれたちに息を吹きつけてくるのではないか？　白昼に提燈をつけなければならないのでないか？」〔……〕（ニーチェ『悦ばしき知識』信太正三訳）。

神を無化して現れる虚空を見つめよ。愛もまたそこに達する。それがニーチェからバタイユへ継承された思想であり、バタイユの『ニーチェについて』（一九四五）はその記録である。ニーチェ論というわけではない。ニーチェが見たものを日々の生活のなかで生きる。その手記なのである。系譜からいえば、近代のインサイド・リポートに入る独白調の断章の書だ。同じような形式の『内的体験』（一九四三）、『有罪者』（一九四四）とともに三部作『無神学大全』を形成する。だがそこで際立つのは愛の言説の爽やかさである。虚無に向かう愛の動きに応じて、言葉も軽くさせたいと考えるこの思想家の言語への反省意識の成果だろう。じっさい、バタイユは西欧伝来の言葉の厚みへの苦闘をこう打ち明けている。

「ときどき語ることがたまらなく苦痛になる。私は愛しているのである。それを見抜いてもらえず、言葉──諸時代の虚偽や澱《おり》で今なおべたついている言葉──を発せねばならないというのは、私にとって責め苦なのだ。「私は自分自身を愚弄している。」と私は続けて言い添えておかねばならないのだが（粗雑な誤解を防ぐために）、私としてこう語ることも気分が悪くなるほど厭なことなのだ」

（バタイユ『ニーチェについて』）

ここからバタイユは読者に友愛を求める。友愛とは、この場合、言葉に満足せず、言葉の奥を愛する彼の書き手としての姿勢への理解のことだ。バタイユはこの友愛を読者に強要したりはしない。というのも彼には強要を促す絶対的な基盤がないからである。言葉の奥の語りえぬものを、不動の絶対者、この世を上から支配する精神的実体と信仰する伝統的な神学とも、これを否定しこの世の物だけを信仰する唯物論的無神論とも、バタイユは無縁だ。神を疑わない神学者の、取り付く島のないような厳《おごそ》かさも、物の世界を信仰してこれをとことん知らしめようとする（知ることが当然正しいとする）啓蒙主義者の傲慢さも、バタイユにはない。彼が書物で試みているのは「遠い彼方の可能性、密かな恋情にも似たもろい内面性に関わる可能性を想起させる」（バタイユ『ニーチェについて』）ことだけだ。それも、次々に紡ぎ出される想念、そして言葉が定着し硬化し神格化するのを逐一《ちくいち》否定しながらのことである。それゆえ、バタイユを否定しても否定したことにはならない。なんとも不思議な思想家である。

バタイユが求める友愛は恋愛においても重要な要素となる。言葉や仕草の奥にあるものを見抜くこと。それが愛する者を根底で結ぶ。

「Kは、今朝、意気消沈している。ゆえしれない不安の夜、不眠の夜ののち、彼女自身も人に不安をかきたてる様子になっている。そして、たくさんの飛行機の音が聞こえていたので、軽い震えにおそわれている。うわべは潑剌としている――陽気で元気がよい――けれど、かよわそうな感じがする。私自身ふだんからかなりの不安性なので、このようなゆえしれない苦悩を見逃してしまう。彼女は、私の窮状と困難、私が進み入っているぬかるみを見抜いて私に心から笑いかけた。突然、彼女の中に、見かけとは反対に、妹のような一人の友人を感じて驚いてしまう……。だがもしもこういうことがないのだったら、私たちはお互い他人になっているのだろう」

（バタイユ『ニーチェについて』）

バタイユは一九四四年四月にパリを離れ、セーヌ川上流の村サモワに移って結核の療養がてら『ニーチェについて』を執筆していた。Kとは、のちにバタイユの妻になるディアーヌ・コチュベイのことで、彼女はサモワ近く、フォンテーヌブローの森のなかの村ボワ・ル・ロワに住んでいた。両者は逢瀬を重ねていたが、同年六月の連合軍によるノルマンディ上陸以後、北フランスはドイツ軍との戦場になり、上空には戦闘機や爆撃機が飛び交いサモワにも警戒警報が鳴り外出禁止令がだされるなど状況は不安定だった。それでも、春から夏へ向かう季節のなかで森も川もその生命を豊かに誇示し、戦況も八月のパリ解放からドイツ軍の敗走へ急速に好転していた。『ニーチェについて』はそのような自然と社会の変化を背景に全編明るいトーンになっている。二人の恋愛も夢のような記述で、その奥へ読者をいざなう。

「私たち（Kと私）は昨晩ワインを二瓶飲みほした。月明りと嵐の夢幻境のような宵だった。夜の森のなか、木々の間から月光の差しこむ空地の道を行く。その道は、傾斜地にさしかかると、小さな青白い点が幾つも光っていた（虫が食ってぼろぼろになった枝々の断片に蛍が住みついて、マッチのような微光を放っているのだった）。これ以上に純粋な、これ以上に野生的な、これ以上に暗い幸福をかつて経験したことはなかった。きわめて遠くへ進み入った感じ、不可能なもののなかへ進み入った感じだった。夢幻のような不可能なもの。

あたかも私たちは、この夜のなかをさまよっているかのようであった。

帰りはひとりで岩場の頂きに登った。

事物の世界に必然性はないという考え、恍惚とこの世界とが一致しているという考え（恍惚と神との一致でも、事物と数学的必然性の一致でもない）がはじめて私におとずれた――そして私を大地から持ち上げた。

岩場の高みで私は、激しい風に吹かれるまま衣服を脱いだ（暑い日だった――私はシャツとズボンしか着ていなかった）。風が雲を切れ切れにし、雲は月下で解体した。月光に照らされた広大な森。私は期待して……の方角を振り向いた……。（裸でいることには何の興味もない――私は再び服をまとった）。存在たち（私が愛する存在、私自身）は、ゆっくりと死のなかへ消えてゆくという点で、風が解体する雲に似ている。けっして二度とない［＝ jamais plus《ジャメ　プリュ》］……。私は愛した［＝ J'aimai《ジェメ》］、Kの表情を。風が解体する雲のように、私は、叫びもあげず、恍惚のなかへ、宙づり状態に入ったためいっそう透明になった恍惚のなかへ、入っていた」


（バタイユ『ニーチェについて』）


「愛の国」の魅惑的な光景だと思う。人と人、人と自然がなんと瑞々《みずみず》しく交わっていることか。一度しかなくとも、それが体験できたなら、そんな素晴らしいことはないだろう。ちぎれる雲のように、何も残らず、実利になるものは何もないのだが、いやだからこそ、語るに値する。

もちろん私の感動は強要できない。私自身はこのような素晴らしい光景に取り憑かれ、それしか眼中にない青春だったし、今もまだその余韻を残して生きてはいるが、友愛の次元で語り続けるつもりだ。

学問におさまりきらないものを学問の場で語る。それは大学の他の学部でも同様だが、こと文学部はこの不可能な夢、一度しかない体験、人間の心が抱える解説できない事柄にこだわっていい学部である。

Last Chapter

終章
レトリックにかけた夢

1　生きるためのペシミズム

誰しも弱音を吐きたくなることはあるだろう。死にたい。死にそうだ。生きる希望がなくなった。こんな悲観的なことを口に出しながら、人は、そのじつ死のうとはせず、逆に生きようと欲しているのではあるまいか。

哲学者の言葉から、こうした矛盾した心理を浮かび上がらせる見事な卒業論文に今年度めぐりあえた。H君の論文「生きるためのペシミズム」である。私の数歩先を行く考察で、唸《うな》らされた。ショーペンハウアー、ニーチェ、シオランとペシミズムの系譜をたどりながら、彼らが厭世主義に染まっていても自殺に至らず、逆にしぶとく生き続けた矛盾を問うている。曰く「本論の目的は、単なる自殺奨励的な思想として捉えられかねないペシミズムについて、むしろ正反対に、生きるということを助長し、人を生かしてしまうようなあり方に迫ろうというところにある」。卒論の最終章は、自殺に関するこの三人の哲学者の比較にあてられている。

まずアルトゥール・ショーペンハウアー（一七八八―一八六〇）の考えはH君によれば端的に次の発言に要約される。「もともと自殺者は生を欲しているのだ。自殺するのはただ、現在の自分の置かれている諸条件に満足できないというだけの話なのである。だからして自殺者はけっして生きんとする意志を放棄するのではなく、ただ単に生を放棄して、個別の現象を破壊するにとどまっている」（ショーペンハウアー『意志と表象としての世界』西尾幹二訳）。自殺者は根本的に、死にたいのではなく生きたいと思っている。現世での生存の条件を否定しているだけだというのである。

他方でフリードリッヒ・ニーチェ（一八四四―一九〇〇）は現世を生き抜く手段の一つとして自殺への思いを肯定している。H君の引用するニーチェの箴言《しんげん》だ。「自殺を思うことは、すぐれた慰めの手段である。これによってひとは、かずかずの辛い夜をどうにか堪えしのぐことができる」（ニーチェ『善悪の彼岸』一五七番の断章、信太正三訳）。自殺の選択肢まで想念して貪欲《どんよく》に生きよということだろう。

この発想を継承したのがエミール・ミハイル・シオラン（一九一一―一九九五）である。「現代のペシミズムの巨匠」と評されるこの思想家は、厭世の度合いは誰よりも激しく、しかしまたアルツハイマー病で死するまで八四歳の長寿をまっとうした。オーストリア＝ハンガリー帝国内のルーマニアに生まれた彼は、第一世界大戦から第二次世界大戦へ向かう激動の社会情勢に翻弄されながら、ドイツ語で読み書きを覚え、フランスに渡ってフランス語で書物を著すようになる。その彼にとって、国籍、国民、民族なるものは何の支えにもならず、さりとて自身のその身も心もリューマチ、胃腸の病、そして不眠で苦しめられて、およそ存在の基盤にはならなかった。確実にあるのは苦しみだけという人生だったのである。

シオランの厭世主義は当初、この世に生まれてこなければよかったという「非＝生誕」の教説（不眠に苦しむ息子を見て、いっそのこと堕胎しておけばよかったと言い切った彼の母親の言葉が淵源にあるとも）と、この世のすべてを否定してそこからの離脱をめざす「解脱」の教説（ショーペンハウアーの影響）に捉われていたが、やがてこれらの発想を捨て、生の苦しみそれ自体に相対峙し、とことん苦しみ続けることを選ぶようになる。H君によれば「彼は病気による苦しみによって自覚的に、能動的に思想を繰り広げていたといえよう。「健康であるかぎり、人は存在しない」と断言」するところまでいく。H君の引くシオランの言葉は実存の極みである。「病気はある。病気ほどの実在性を持つものは他にあるまい。もし病気を不正と観ずるのなら、あえて存在そのものを不正と見なければならず、最終的には存在することの不正について語らなければなるまい」（シオラン『生誕の災厄』出口裕弘訳）。病による苦しみは生きていることの証なのだ。

　他方でシオランは自殺の強迫観念にも終生捉われていた。ただそれを最後の救いの可能性として未来に先送りして、生き続けた。「死んだ方がよいと思ったときいつでも死ねる力があるからこそ、わたしは生きている。自殺という観念をもたなかったなら、ずっと以前にわたしは自殺していたであろう」（シオラン『苦渋の三段論法』及川馥訳）。この言葉に基づいて、H君はこう結論に達する。

　「シオランは常に自殺の観念を抱き、自殺と「手をたずさえつつ生きてきた」のである。彼の場合、その具体的な手法は、書き続けることであった。「一冊の本は、延期された自殺だ」（シオラン『生誕の災厄』出口裕弘訳）と述べる彼は、絶えず自殺について思い、それを書くことで自殺を延期していたのである。約束された自殺を思い続けることで生きる道を見出したシオランという一人の思想家の生涯を見ることが、我々が生への意志を持ち、生き続ける道を見出すことにつながるのではないだろうか。

　世界を否定するものであるペシミズムは、我々が生きることを妨げる思想なのかもしれない。しかし実際には、たとえ世界が苦悩に満ちた、不条理なものだったとしても、そういった世界で生きる道を見出してくれる思想なのである。世界を否定する強い意志は、自ら死ぬことをも否定し、我々が強い意志のもとで生を享受するよう助けてくれる。それでもまだ自らの死を望んでしまうような場合でも、自殺の観念を胸に抱き続けることで、それに縋りつきながらでも生きていく道が開けてくる。ペシミズムの本当のあり方とは、自殺者がただ世界を憎悪し呪詛しながら死んでゆくためのものではなく、自らの意志で生き続けることを助けるものなのだと言えるのではないだろうか」

（H君の卒論「生きるためのペシミズム」より）

自殺の発想を生きるための手段として文章を書き続けるというのはニーチェに似ている。だがニーチェの場合、その文章自体が、生で輝くことを欲した。生の情念が宿り、ほとばしり、読む者を魅惑する、そんな文体の彫琢《ちょうたく》にニーチェは腐心していた。パトスが重要だと語りつつ、その伝達手段である言葉が、それ自体で熱を帯び、読者を高揚させる。そのためにはどのように書いたらよいのか。修辞の復権である。ペシミズムに沈むなか、ニーチェは、見知らぬ読者に向け、熱きレトリックに夢をかけたのだ。

終章ということで、大学の授業で紹介し講じてみたかった名論を取り上げて、私にとっての文学部の意義をまとめてみたい。毎熊佳彦《まいくまよしひこ》氏の「観照のディレンマ――初期ニーチェの言語論を中心に」（『理想』一九七九年十月号）である。修士論文が書けず、どん底にいた私に光となった論文だ。ニーチェは私などよりはるかに深いところで苦しみ、ペシミズムに襲われていた。そのなかで新たな共同体を模索していた。文学共和国、生への愛と追ってきて、この終章では言語というメディアの可能性を考えてみたい。

2　観照のディレンマ

毎熊氏の論文「観照のディレンマ」の存在を私に教えてくれたのはドイツ文学を研究する友人だった。一九八〇年の末のこと、ちょうどこの論文が第二十回ドイツ語学文学振興会賞を受賞した直後のことだった。数年に一度しか該当作がでないこの顕彰制度の正賞を弱冠二七歳で受賞された毎熊氏は、当時、独文関係の若手研究者のあいだで注目の的だったのだ。

この論文はとりわけ二つの点で際立っていて、それが魅力になっている。そして、先走って言ってしまうと、この二つの点は研究論文として必ずしも必要ではない、いわば余計なこと、余剰なのである。にもかかわらず（いや、だからこそ、なのかもしれない）正賞とした、この研究者支援組織の見識の高さに私は心を動かされている。

その二つとは、まず文体自体がパトスを帯びている点だ。研究論文はあくまで冷静に対象を追いかけ、客観的に成果を提示して、普遍性を獲得しようとする。書き手個人の情念など問題にならず、介入させてはならない要素なのだ。人文系の論文においてもそのような、いわば科学性が必要条件として第一に求められている。抒情的な詩文のような論文であっては理論の伝達として説得力が得られず、学問の公共性に反するのである。毎熊氏の論文はこうした前提を踏まえつつ、可能な限り、情念を乗せ、読者に届けようとしている。並みの研究論文とは異なり、読んでいて高揚感に襲われる。「文学共和国」の論文といおうか。毎熊氏のパトスを感じつつ、当時の私にとってこの論文はあまりに見事で「遠方のパトス」と映じた。

もう一つは、ディレンマを前面に出し、際立たせ、そのままに論文を終わらせている点だ。問題提起に対する回答の提示がないのである。問いかけを開いたまま、結論らしい結論のないまま、毎熊氏は筆を置いている。そうして読者に深いものを感得させている。これは論文としてかなり高度なわざだ。たいがいの場合は、結局、何が言いたいのかと不明を問いただされて失敗作とされてしまう。思想家なり哲学者の抱える本質的な二項対立、葛藤、矛盾を前面に出して提示する。これだけでも研究者としてかなりの力量が必要なのだが、多くの場合、そのうちのどちらか一方に価値を置いて結論にする。「生の哲学者ニーチェ」だとか「侵犯の思想家バタイユ」といったように。あるいは矛盾それ自体に価値を置いて、新たな総合的特徴づけとする。「背理の思索者シェストフ」のように。こうした背景にはなんらか回答を提示するのが人文系の学問の使命だとする見方があるのだろう。

昨今の哲学への期待もそこにあるようだ。一般の人間が分からず困苦している問題に明快な答えを提示できる人、それが哲学者なのだ、と。人生相談の回答者のように、百問百答、「考える専門家」である哲学者は、この世の難問に次々に良き答えを出して、一般のニーズに応えていくべきだ、という発想である。

「一般のニーズ」の正体はともかく、人文系の研究論文も明快な回答をもって研究分野に、学会に、ひいては社会に貢献すべきだとする見方がある。毎熊氏はその見方をも視野に入れつつ、さりげなく行論を切り上げている。人一倍考えていたからこそ、考えるとは疑うことだとしていたからこそ、この哲学者は回答を得られないいまま、共同体を夢見つつ、実社会から遠い山脈の尾根伝いを一人行くかのように思索の道を歩んでいた。ただそれだけだった。ニーチェの生きた矛盾に読者を立ち会わせつつ、毎熊氏は、自身の価値付与を静かにほのめかして、最終行としている。

3　ニーチェの真理体験

毎熊氏がこの論文で際立たせるニーチェのディレンマとは、孤独な生き方と共同体での生き方との相克に陥ったこの哲学者の姿のことである。観照的な生と共同体的な生のどちらにも惹かれながらどちらにも決定的に与《くみ》できず、この両極のあいだを振り子のように揺れ動いたニーチェの姿を指す。観照《テオーリア》とは耳慣れない言葉かもしれないが、この世の真理を見て認識することであり、多くの場合、孤独の状況でなされる。対して後者の共同体的な生とは、人々と語り合い祝祭や芸術鑑賞をともにして情念の高まりを共有する生き方を指す。

ニーチェの観照的な生の極として毎熊氏が注目するのは、一八八一年八月のスイスのアルプス山中、シルヴァプラーナ湖畔での彼の真理体験だ。ニーチェは一人この湖畔を散策中に、ピラミッド型の大きな岩のそばで、永劫回帰のヴィジョンに襲われた。

永劫回帰とは何のことだろうか。その後のニーチェも定かに定義はできなかったが、私なりに整理してみると、おおよその骨子は、この世の根本的な原理として、同じことが別様に繰り返されるということである（本書第一章で紹介したニーチェの断想を参照されたい）。桜の花は毎年春になると開花するが、その時期も異なるし、開花した花の色や香りも年々異なる。この自然の在り方に似て、人間にも同じようなことが別の姿となって際限なく繰り返されるのではあるまいか。となると、西欧近代をリードしてきた進歩の思想は疑問に付されるし、起源と終結の発想も失権する。哲学の場で言えば、オリジナルな発想、独創的な開祖という見方はなくなり、同じ教説が新たな見方や言葉で繰り返されているだけだとなる。ニーチェ自身の身で言えば、苦しい病の発作が強度を変えていつまでも反復されるとなり、まさに近代人にとっても、彼にとっても、永劫回帰はおそろしき「悪無限」になる。

しかし一八八一年八月のニーチェはこの永劫回帰の真理を恍惚のうちに体験した。同年八月一四日付のペーター・ガスト宛ての有名な書簡によれば、「僕の地平線のうえには、まだ考えてもみなかったようなそんな思想がたち昇っていた」としたあと、「どんな人にも先がけて僕にはみえる新しい眺めに満たされて、歌をうたったり、意味のないことを口走ったりしたものだ」（塚越敏訳）と告白されている。新たなヴィジョンであることが強調されている。永劫回帰がこの世の原理としてすでに太古からあったとしても、それに意識的に対峙し、思想の対象にしたのは自分が初めてだというのだろう。

毎熊氏の論文は、この直後に書かれたもう一通のガスト宛ての書簡の言葉から始まっている。この新たな思想をどう書いて伝えたらよいものか、思案にくれるニーチェである。観照的な生の極にありながら、もうニーチェはその孤独に満足せず、反対側の極へ眼差しを向け、人々の共生する世界へ振り子を切ろうとしている。しかしこの見知らぬ思想の伝達の試みは容易ではない。語られていないことを語ろうとするからだ。このときのニーチェを、毎熊氏は、旧約聖書の「創世記」で最初の人アダムがはじめて神の被造物に命名していくときの姿に重ね合わせる。論文初頭に題辞として置いたバフチンの『小説の言葉』からの文言「最初の言葉とともに、まだ語られていない無垢な世界に近づいた神話のアダム、孤独なアダム」を念頭に置きながら、毎熊氏はこう論文を始めるのだ。

「一八八一年八月末、ニーチェはペーター・ガストに方法論上の悩みを伝えている。

「私の著作は、一番必要とする器官《オルガン》すら思うままにできずに悩んでいるひとりの不完全な人間の写し絵です。——私自身がそっくりそのままなぐり書きではないかと——未知の力が新しいペン先をためすために紙の上になぐり書きをする、そのなぐり書きそのものではないかと思えることがしばしばあります」。

ニーチェの後の証言を信じるなら、当時彼は、彼の真理体験——永劫回帰体験——のただ中にいた。彼は、自己の真理体験を〈時代と人間を離れること六千フィート〉の孤独裡に行なったことを、後期に特徴的な、陰翳に富んだ、挑発的な、修辞的口調で語っている。たしかに当時彼は共同体をはるか離れた独居の中で彼の真理と出会い、その〈スフィンクスのような、唖に生まれついたような問題〉をなんとか言葉で表現しようと苦労していた。ある意味では彼は〈まだ語られていない無垢な世界〉に対面して〈新しい言葉〉を模索していた〈孤独なアダム〉だったかもしれない。そしてここで述べられている方法論上の当惑は、つまりは新しい世界に命名するアダムの当惑であった、といえるかもしれない。

事実彼はこの手紙の後、自己の真理体験を表現しようとして大変な苦労を重ねることになる。あるときには彼は詩人として現示的・比喩的・神話的な表現を試み、あるときは科学者風に論弁的・概念的・論理的な証明を試みる。言語表現そのものとして見れば、比喩的に圧縮した詩人としてのそれの方が、不馴れな自然科学の装いをこらす〈証明〉の方より成功しているとはいえる。しかし比喩的表現もまた決して最終的な完結にまでは至らない。表現者ニーチェの背後に控える哲学者ニーチェが、一応成功したかに見える表現に満足することなく、彼を新たな表現へと駆り立てる。比喩的な表現の連なる『ツァラトゥストラ』も、概念的な論証が優勢を占める『権力への意志』（あるいは『八十年代の遺稿』）も、彼にとってはたしかに〈なぐり書き〉にとどまったといえる」

（毎熊佳彦「観照のディレンマ——初期ニーチェの言語論を中心に」）

毎熊氏はここから初期ニーチェへ向かい、そしてブーメランのように最後にまた一八八一年八月前後のニーチェへ舞い戻ってくる。ただし同じニーチェへ違うふうに回帰してくるのだ。巧みな構成である。

4　ニーチェの夢とレトリック

副題に「初期ニーチェの言語論を中心に」と添えられてあるように、毎熊論文の中心はニーチェの第一作『悲劇の誕生――音楽の精神からの』（一八七二）以後のニーチェの言語論に置かれている。ニーチェは一八六九年二月、二四歳の若さでスイスのバーゼル大学員外教授に就任し、古典文献学の講義を担当した。『悲劇の誕生』は、ギリシア悲劇の本質を舞台下のコーラス隊に見る非実証的で大胆な立論ゆえに学会の不評を買い、彼の授業も受講生が二人に減ったが、ニーチェはその二人に対して相変わらず意気揚々と古典文献学の講義を行った。その題目はおもにプラトンやアリストテレスを用いての古代修辞学に充てられていた。本書第三章でフーコーの『知への意志』に立ち寄りながら、それまで内にしまわれていたテクストが二十世紀に入り次々公刊されだした事情を紹介したが、ニーチェもまたその書簡、遺稿そして大学での講義録が出版されるようになった。毎熊氏はそこから新たなニーチェの姿を割り出していく。初期ニーチェは古代修辞学に強い関心を持ち続けていたのか。その理由が、この論文をとおして、祝祭共同体を欲するニーチェ、そしてそこから離れていく哲学者ニーチェとともに斬新に明示されていくのである。

ニーチェは一八六八年、作曲家のリヒャルト・ヴァーグナー（一八一三―一八八三）の楽劇『トリスタンとイゾルデ』を見て以来、彼の芸術に心酔するようになった。バーゼル大学に職を得てからは、同じスイスのトリープシェンのヴァーグナー宅を足繁く訪れるようになる。そうして、ドイツのバイロイトに祝祭歌劇場を建て音楽祭を開催するこの作曲家の夢を共有するようになる。『悲劇の誕生』の真の狙いは、歴史と理論からこのヴァーグナーの夢を支援するところにあった。古代ギリシア、アテナイでのディオニュソス祭の現代版がバイロイトの音楽祭であり、ディオニュソス神話を仰ぎながら行われた古代ギリシアのアッティカ悲劇の再生がドイツ神話（ルターからドイツロマン派を経て同時代まで続くドイツ文化史を神々の列伝のごとく称える見方）を背景にしたヴァーグナーの楽劇だという筋立てなのだ。ニーチェの古代修辞学講義も、共同体に向けて書き手がそのパトスを伝達する熱き言語の模索として研究され、講義されていたのである。毎熊氏の引く一八七四年のニーチェの講義録の冒頭である。「修辞学の異常な発達は、古代人と近代人とを分かつ固有の差異のひとつである。近代ではこの技術は少しばかり軽蔑されており用いられた場合には、最上の場合でもディレッタンティズムや粗野な経験主義をまぬかれない。近代では一般に、即自的に真なるものに対する感受性の方がずっと強い。修辞の方は、神話的形象の中に生き、いまだに歴史的正確さへの無制約な要求などもたないような民衆から生まれる」（ニーチェ「レトリック講義」第一章「レトリックの概念」）。修辞とはレトリックのことであり、ニーチェは、社会や事物の即物的な報告よりもレトリックを尽くして伝達されるパトスの方を古代の民衆は欲していたといいたいのである。レトリックとパトスの伝達に冷たい近代人のただなかで、彼は古代の民衆の感性の新たな回帰をヴァーグナーとともに夢見ていたのだ。

しかしバイロイトの計画が実現されていくにつれ、ニーチェの夢は冷めていった。その直接の原因はヴァーグナーの俗物根性（権力誇示、反ユダヤ主義等々）だが、同時にニーチェのなかで共同体を離れ真理を追究する哲学者の芽が育ちだしたことも影響した。『悲劇の誕生』で非芸術的、反共同体的、パトス衰退的と批判されたソクラテスその人の愛知の姿勢が彼のなかで芽生えだすのである。毎熊氏は、この内的な矛盾をニーチェに見出した後、さらに鋭く、プラトンにニーチェと同様のディレンマのあったことを指摘していく。生来、プラトンは政治と芸術への愛好を持ち共同体の生に心を傾斜させていたが、師と仰ぐソクラテスがその共同体によって、アテナイの広場のただなかで、死刑を宣告されて以来、プラトンのなかで観照的な生とのディレンマが始まったというのである。結局プラトンは、アテナイの郊外に哲学の学園アカデミアを開き、哲人王を頂く共和国の設立を構想して、このディレンマを解決しようとした。その共和国では真善美のイデアを観照する哲学者が共同体を営むことになるのだが、「イデア」の疑似的表出物（個々の物体）をまたさらに疑似的に描きだすということで詩人と画家はイデアの誤情報を流す張本人とされ、きれいに追放される。ニーチェはこのディレンマを生きつつ、違う解決へ向かいだしたと毎熊氏は説くのである。バイロイトから徐々に離れていっても彼ニーチェは決して共同体的な生からの批判意識を自らに隠蔽しようとはしなかった。真理の追究などは生の力の衰退者《デカダン》の行う自己救済にすぎないという共同体的生からの批判意識を抱えつつ、真理の道へ振り子を振ったのである。そしてその極に達しても、この対立する生き方の両立を模索していたと毎熊氏は説く。

5　存在の重荷と弱音

ここで私から補足しておくと、ニーチェがバイロイトの構想から離れ、一人哲学者の道を歩み始めたちょうどそのときは、彼の病も軌を一にして進行しだした。まさに生の衰退への道をニーチェ自身、辿っていたのである。

頭痛、眩暈、眼痛、嘔吐。健康の悪化のため、彼は、一八七九年、バーゼル大学を退職し、以後、年金生活に入る。退職時の俸給の三分の二の金額で彼は、身体の調子に合わせて、夏はスイスの山並みのなか、冬はイタリアやフランスの温暖な地中海沿岸地域を一人点々とさまよいだすのだ。その各地でニーチェはペーター・ガストをはじめ知人、友人に頻繁に手紙を投函するのだが、その文面には彼の内面が吐露されていて、貴重な資料になっている。病に関する告白も繰り返され、ペシミズムに襲われ弱音を吐くニーチェを読者は見出すことになる。公刊された書物に現れる威勢のいいニーチェとは裏腹に弱いニーチェが顔をのぞかせる。「おそらくこれが最後のお手紙となることでしょう！　と申しますのも、私の生命《いのち》の、恐ろしい、ほとんど絶えまなく責めつける拷問のために、私は最期を渇望させられてしまっているからです」（一八八〇年一月一四日、マルヴィーダ・フォン・マイゼンブーク宛書簡、塚越敏訳）。H君の卒論でニーチェが自殺への思いをも生きるための方便として肯定していたことを確認したが、まさに彼自身この思いに縋《すが》っている。同じころ医者の知人に宛てた手紙からは、文筆もまた生き延びていくための手段であったことが告白されている。「私の生存《エクジステンツ》はおそろしい重荷です。もう苦しくて、さっぱりと諦めてしまいたいという状態のなかで、私は精神的道徳の領域で啓発的な証明や実験をやっておりますが、もし現在の私がそんな私でないといたしますれば、もうとうの昔にこの恐ろしい重荷を投げ捨ててしまっておったことでしょう。——苦しくてもこうして認識を渇望する楽しみのおかげで、どんな拷問にも、どんな絶望にもうちかっていられる高みへと私は登っていかれるのです」（一八八〇年一月、オトー・アイザー宛書簡）。

一八八一年の八月、永劫回帰の真理体験の高みに一人登高したときにもまだニーチェは弱音を吐き続けていた。その体験を告げる書簡のなかでニーチェは悲観的な展望をこう語る。「生きていかねばならぬとしても、きっともう二・三年のことだろう！　ねえ、ほんとうは、ひどく危険な生活を送っているのだと、そんな考えがおぼろげに僕の頭を掠《かす》めることもしばしばだ。なぜって、この僕は破裂してしまうかもしれない機械の一部だからだ」（一八八一年八月一四日、ペーター・ガスト宛て書簡、塚越敏訳）。もはや真理体験に耐えられないほど、身体はもろく、破滅に瀕していたのだろう。

「私はダイナマイトだ」と豪語し、既存の価値観の破壊者を自任するニーチェの最終作『この人を見よ』まで彼の病は続いた。そしてその病が高じて、ニーチェは、一八八九年一月、イタリアのトリノのカルロ・アルベルト広場で昏倒し、精神の闇へ沈んでいく。

広場は、古代ギリシアの時代、アゴラと呼ばれ都市の中央に開かれて、共同体の重要な場になっていた。民会、裁判にはじまって、商談や哲学談義まで、広場はまさに人々が集っては言葉を戦わす喧騒の場だった。

カルロ・アルベルト広場に面する建物の四階の自室から広場に降りてきて、荷馬車を引く馬に憐憫を覚えその首に泣きながら抱き着いて倒れたニーチェに、もはや観照を支えてきた哲学者の理性はなくなっていたのかもしれない。だが、広場を志向して観照のディレンマを解こうとした彼の半生の姿が見えてくるような気がするのである。毎熊論文の末尾を読むと、そのような思いに至る。「観照のディレンマ」は、アゴラへの登場という形式を重視して、開かれたまま、余韻を残して終わる。

6　パトスを文章にのせて

ヤーコプ・ブルクハルト（一八一八―一八九七）はバーゼル大学の美術史の教授であり、ニーチェの良き理解者だった。一八七一年五月にパリのテュイルリー宮殿が焼失したときには隣のルーヴル宮殿まで炎上したとの誤報がバーゼルに届き、ニーチェはブルクハルトとともに涙にくれたという。両者はパリと美術への愛を共有していたのだ。だがニーチェが観照的な生への道、孤独な哲学者の道に入っていくにつれ、ブルクハルトはニーチェに距離を覚えるようになった。「星の友情」だったのである。毎熊氏は論文末尾で、一八七九年四月、スイスのジュネーヴにいたニーチェにブルクハルトが送った書簡を引用しながら、ニーチェの孤独を感動的に際立たせている。そして広場を志向し、ディレンマの解決を模索し、灰燼のような最後に至るニーチェに思いをはせて論を終わらせている。

「永劫回帰思想と対決する前後の時期に、初期ニーチェの負った観照のディレンマは頂点に達する。真理伝達の問題、真理把握の問題、生成の流れの中での真理の問題は、彼自身の真理体験をどうするのかというぬきさしならぬ問題として彼に解決を迫る。こうしたニーチェの認識の道の困難を、一個の観照者として熟知していたブルクハルトは、あるときニーチェの歩みを目もくらむ岩尾根を歩む登山家に喩え、続けてこう述べた。

「多分、下の谷の方ではごくゆっくりと人々が集まり、その数も増えてゆくことでしょう。彼らは少なくともあなたが勇敢に岩尾根を歩いてゆく眺めにひきつけられるのです」

ここでブルクハルトが先取りしたのは、高山をゆくツァラトゥストラの形象であっただけでなく、観照者ニーチェの広場への登場の形式でもあった。観照者ニーチェは、彼の〈真理〉を新たな共同体創造の礎となる〈教説〉として説く〈永劫回帰の教師〉としていまだに存在しない広場の中へと登場する。この登場の形式の裡に、ニーチェを生涯苦しめたディレンマ解決の方向が渾身の力をふるって模索されている。もちろん矛盾は最終的に解決されたとは言い難い。ニーチェの試行錯誤の跡の全体的印象は惨憺たる挫折のそれである。この解き難い葛藤の中に踏み入り、彼の試行錯誤に同道することの意味はさしあたっては見えない。それは真に非生産的な悪矛盾かもしれない。しかしまたそれは真に生産的な矛盾であるかもしれない。広場への突破口を求めている人間にとって、である」

（毎熊佳彦「観照のディレンマ」）

この最後のニーチェを受けて、「いまだに存在しない広場」へ向け「突破口を求め」た人こそ、バタイユなのである。最後のニーチェのパトスは、思想開示を正面きってスタートさせようとしたバタイユに届いた。彼の最初の本格的な思想書『内的体験』（一九四三）には、ニーチェへの思いがこんなふうに打ち明けられている。

「私は、あたかも共同体が実在するかのように、共同体という言葉を語った。ニーチェは共同体に関していくつも肯定的な断言を残した。しかしたった一人のままだった。

彼を前にすると私は、さながらネッソスの胴着をまとったかのように、不安げな忠誠心で燃え上がる。彼が内的体験の道をただ霊感に導かれて、不確かにしか進まなかったとしても。それで私の思いが留まることはない。彼が哲学者として目的を認識に置いたのではなく、様々な営為を分離させずに、生を、その**極限**を、一言で言えば体験それ自体を、哲人ディオニュソスを、めざしていたのが本当だとすれば、である。孤立した独自性などからではなく、私をニーチェに結びつける共同体の感情からこそ、交流への欲望が私のうちで生まれるのである」

（バタイユ『内的体験』）

ネッソスの胴着とは、毒が塗られ、それを着たギリシア神話の英雄ヘラクレスの肉体をも熱でただれさせ焼き尽くしてしまった衣装のことである。解釈者の「孤立した独自性」を誇る立論などもはや重要ではないということだろう。大切なのは、個や個の思想が滅んで見えてくる広大な地平なのだ。哲人ディオニュソスよりも「大洋であれ」としたニーチェの遺稿の言葉こそ重要だと、バタイユは言い添えている。

毎態論文を読んでから私には、ニーチェからバタイユへ感情と思想が継承されていく様がよく見えるようになった。同じものが違うふうに回帰するその在り方である。バタイユもまた第二次世界大戦中に孤立した観照者に、「未知のものを見る人」になったが、しかし同時にまだ所在の定かでない広場へ思いを高ぶらせていた。そのパトスをバタイユもまた文章にのせようとレトリックの彫琢に腐心したのである。ただしニーチェとは違うふうに、だ。

ニーチェは、いわば彼の解釈するアッティカ悲劇のように、あるいは彼がこよなく愛したモーツァルトの音楽のように、アポロン的な古典主義的美の形式にディオニュソス的な情念を軽やかにのせようとしていた。ニーチェは『この人を見よ』「なぜ私はかくも良い本を書くのか」の章でこう書く。「ついでに私は私の文体の技法について、なおひとこと一般的なことを述べておく。パトスを孕《はら》んだ一つの状態、一つの内的緊張を、記号によって、並びにこの記号のテンポによって伝達すること――これがおよそ文体というものの意味であると言っていい。ところが私の場合には、内的状態が人並み外れて多様であるからして、この点を考慮に入れると、私には多くの文体の可能性が存在するわけである」（ニーチェ『この人を見よ』西尾幹二訳）。ニーチェの断章を楽曲として見た場合、その文体はいかにテンポの速度に多様性があろうと、また一つ一つの旋律の長さに違いがあろうと、形式的に整った美を形成している。

対してバタイユの場合、「内的体験の表現は、何らかの仕方で、その動きに対応していなくてはならない。秩序によって実行されうるような言葉の上だけの無味乾燥な翻案であってはならない」（バタイユ『内的体験』）。バタイユの『無神学大全』の文体は、ニーチェと同じ断章形式であり、ニーチェと同じく内部の情念に忠実であろうとしているのだが、表現されたものはあまりに違っている。壊れかけた文法、極度の省略語法、ただの名詞の羅列。ディオニュソス的なものがまさにディオニュソス的に再現されている。それが修士のころの私の読解を苦しめた。当時の私のフランス語の実力とバタイユの解体の美学のあいだには途方もない距離があったのである。

だがともかくも、バタイユにおいてその文体が、まだ見ぬ読者との共同体をめざしたものであるとの確信を当時の私は徐々にではあるが得つつあった。そのとき先駆者ニーチェの姿があまりにおぼろげで、私は困苦していたのである。精神生活最晩年のニーチェは自身の第一作『悲劇の誕生』からの自分の思想の行方をこう紹介している。「同様に「バイロイトの思想」も、いつしかある別のものに変貌をとげて行った。この別のものは私の『ツァラトゥストラ』に精通している人にはべつに謎でも何でもない、すぐ分ること、つまりあの大いなる正午のことだ。最も選び抜かれた人々だけがあらゆる使命の中の最大の使命に身を献ずるというあの思想のことだ。――誰が知ろう？　この思想こそ私がこれから生きて体験するであろうある祝祭の幻影《ヴィジョン》にほかならない」（ニーチェ『この人を見よ』西尾幹二訳）。毎熊論文は、祝祭共同体の夢に憑かれていたニーチェのさまよいをじつに斬新な手法で開示していて、私を鼓舞したのである。

ニーチェの共同体への夢の彼方にバタイユの共同体構想が広がる。「形なき共同体」とも「否定的な共同体」とも「共同体を持たぬ人の共同体」とも形容される。組織も党派も国籍も時代も問わない無限定の共同体である。パトスへの友愛があれば、だれにでも開かれて見える共同体。本書でいう「文学共和国」である。それが、私には、なぜかいつも遠くに見えてしまうがない。だからこそ泳いでいきたいと思いを募らせるのだが、どれほど泳いでもたどり着かない岸辺。まさに「遠方のパトス」なのだ。

7　十人十色の大学教師

私もまたよく弱音を吐くタイプである。

死にたい。死にそうだ。生きる希望がなくなった。

こんなことを日に何度もつぶやいたり、思ったりしている。

授業でもそんなふうであるらしい。自分を否定する言葉がすぐに出てくるらしいのだ。序章にも書いたとおり、教壇に立つと自分のことが分からなくなるので、なかなか自覚にいたらなかった。教室の最前列を指定していた学生Fさんに教えてもらったのである。

「先生は五分に一度は自分を貶《おとし》めていますよ」

そう話しているうちにも、こんなつまらない授業をよくとってくれた、とか、役に立たない話によくつきあってくれている、とか。Fさんは「ほらね、先生」と失笑。

そのFさんは私のゼミのほかに別のゼミも取っていた。まったく違うタイプの教師のゼミである。自分を肯定すること五分に一度、自負と自尊心に満ちた先生で、じっさい社会的に立派な立場でご活躍の方だった。それゆえ、その先生の定年時に開かれた公開の最終講義は大教室が満員になる盛況ぶりだった。私も四年後の三月には定年だが、そもそも最終授業などという柄ではなく、社会的にも学内的にも何もないので、さりげなくふだんのとおり授業を終えて大学を去ろうと思っている。おや、また、否定的なことを口走ってしまったようだ。

Fさんは私のサブゼミにも出席していて、卒論はそこで扱ったロラン・バルトの写真論『明るい部屋』を選び、私のもとに提出した。写真の魅力は被写体や撮影者の気づかない面が出ているところにある。バルトのその指摘の意義を偶然性や非人称性など哲学的な視点からまとめた好論だったと思う。秋田からきて、都内の大学をいくつか受験し、法政の哲学科に落ち着いたという。一週間、どの授業も、研究に入れ込んだ教師の十人十色の性格がでていて、フェリーニの映画でも見ている気分になり、楽しかった。卒論の口頭諮問の最後にそう言い残して面接室を立ち去っていった。

私のようにとかく自己否定的な発言癖がある教師と、自己肯定感に満ちた教師のゼミをセットでとる。その余裕が今の哲学科の学生にはある。

8　ディオニュソスの酒甕《さかがめ》

私は、一九八三年九月の末にフランスに渡り、パリ第一大学の哲学史科の博士課程に在籍して留学生活を開始した。宿舎での生活にめどがたつとすぐに、ドイツのシュトゥットガルト大学に留学中の毎熊佳彦氏に書簡を送り、近況報告がてら、パリに来るご予定はありますか、とお尋ねした。毎熊氏は大きなテーマ（「ワールブルク、ニーチェ、ブルクハルトの文化の概念」）の博士論文を作成していてその最終段階にあり、パリに行く余裕はないが、留学当初、ルーヴル美術館でディオニュソスの壺絵を堪能したと応《いら》えを返してくださった。

そこで私もさっそくルーヴルに行き、古代ギリシアの陶器展示室へ赴いたのである。私が入ると、ミシミシと床板のきしむ音が響いた。ただその音だけがする静かな展示室だった。ルーヴルは当時も入館者が多かったが、そのほとんどの人がこのコーナーに関心を持たず、閑散とした佇まいだったのである。見れば、ガラス張りの棚や台に無数の陶器が並べられている。紀元前七世紀から紀元前一世紀まで、ギリシアをはじめ地中海世界でさかんに作られた器である。そのほとんどがワインの輸送や貯蔵、そして水で薄めるための混成器、盃につぐ注入器である。つまり実用品だったのだ。であるのに、湾曲した表面には美しい装飾がふんだんに施されている。なくてもいいもの。必要以上のもの。まさに美しき余剰の世界なのである。黒像式から赤像式へ表現は克明になり、題材も神々だけでなく、宴の様子や花嫁の姿など日常の生活まで描かれている。私はそのなかにディオニュソス神を見出して狂喜した。ワインの神は顎鬚《あごひげ》を植物のように繁茂させ、厳《おご》かな表情であった。

ディオニュソスの酒甕《さかがめ》。

そう、それが文学部なのではあるまいか。

今ではそんな思いがしているのである。

文学部とて教育機関として人材育成の使命を負う。人間と社会にとって有益であるべき場なのだ。しかしまた、それだけでないことが本質的に許される、いや寿《ことほ》がれさえするのも文学部ではあるまいか。人と社会と自然界の余剰がもたらす意義。通り一遍の理屈やお題目では理解できない大切な余剰に関心が払われ、議論され、生きられもする場。社会的には不道徳な形の愛についても、当事者同士の真理において大真面目に扱われる場。私にとって文学部とはそのようなところである。

十代の半ばからフランス文学にあこがれ、その原文の世界にどっぷりつかりたいと切望してきた（だからこそ卒論はフローベールだった）。やがて友人から教えられたバタイユの思想書に憑かれて修士論文を書き、フランスに渡って博士論文を提出して法政大学の文学部哲学科に教師として逢着した。これが全国の文学部生の典型的人生例だとは思わない。その悲観的性惰といい、授業では文学や芸術についてさかんに語ってきたところといい、哲学科の教師としてもやや傍流に属しているのかもしれない。よく言ってFさんの見た「十人十色」の一色である。だが、このカラーを生み出した母体は文学に感動し突き動かされたこと、そして文学部にある。

この終章を執筆のさなか、東京の六本木に新装なったサントリー美術館に赴き、古伊万里焼きの展示を鑑賞した。かつて社会人教育の場で私の講座を受講されていたHさんが写真入りで紹介してくださったのである。その写真にあった絵皿が無性に見たくなったのだ。六本木などあまりに華やかで私には縁遠い世界であったが、高層ビルの美術館のその一角はほの暗く、めざす絵皿はごく清楚に展示されていた。

《青磁染付七壺文皿》。十八世紀、鍋島藩の窯より制作されたと表示されていた。皿は道具の部類に入るが、そのなかに七つの壺がそれぞれ異なって丹念に描かれている。その壺は祝宴のときの酒壺であったらしいとカタログに解説されていた。文学部の学生も教師も絵皿のなかの七つの壺のように多士済々どこか楽しげに共生できていたら、と思った次第である。

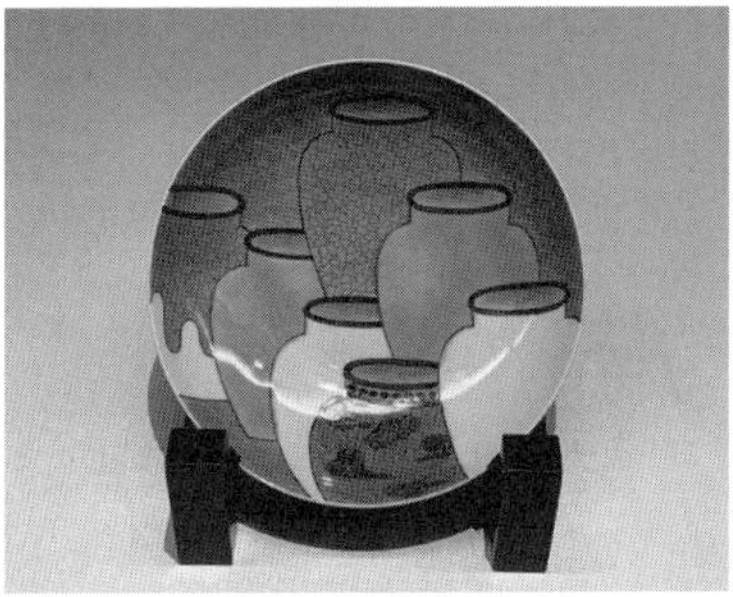

〈青磁染付七壺文皿〉
18 世紀、鍋島藩の窯、筆者撮影

＊＊＊

本書は、つねづね大学で講じてみたいと思っていた題材を文章化したものである。主題が文学部じたいであり、また私的な経歴や思いが散在しているため、自由に語れるこの場を選んだ。私が自分で語るインサイド・リポートである。第一章は講座のためのテクスト資料であるが、私にとってはそれ以上に熱を帯びている。序章、第二章、第三章、終章は、この熱源をめぐる惑星のような文章である。

本書は文学部を系統だって説明した文章ではないし、講義録でもない。

私は文学部を特権視しているわけではない。世の中には、水蒸気のような、ワインのような、お神酒《みき》のような余剰に憑かれている人間もいると、そしてそんな人間が語っている場もあるのだと、ご理解いただけたら幸甚である。

二〇二一年三月　酒井健

特講《とっこう》　私《わたし》にとって文学部《ぶんがくぶ》とは何《なに》か
——「遠方《えんぽう》のパトス」のために

二〇二一年四月二一日　初版発行

著　者　酒井健
発行所　景文館書店
愛知県岡崎市牧平町岩坂48—21
mail@keibunkan.com
発行者　荻野直人
印刷製本　大日本印刷株式会社

ISBN 978-4-907105-09-9　C0010
Printed in Japan